S'épanouir dans l'éclat

Publié par
Claritza Rausch-Peralta

Tous droits réservés

Avis de non-responsabilité :
Ce mémoire est un récit de mes propres expériences, émotions, et perspectives. Il peut y avoir des lacunes dans le récit, des détail qui se sont estompés avec le temps ou des complexités qui ne peuvent pas être entièrement capturées dans ces pages. Il ne s'agi pas d'un récit exhaustif de toute ma vie, mais plutôt d'un recueil d moments et de réflexions sélectionnés qui ont façonné mon voyag

Pour plus d'information veuillez contacte

Claritza Rausch-Peralta

Courriel : Peralta.claritza@gmail.com

Numéro de téléphone : (267) 453-1426

Instagram: Claritzaperaltaa

Facebook: Claritza Rausch Peralta

S'épanouir dans l'éclat

De : Claritza Rausch - Peralta

À:

_____

Dans les bras embrassants de la grâce de Dieu,
J'ai trouvé le courage d'affronter mon passé,
d'abandonner ma douleur et d'embrasser un
avenir rempli de joie, de pardon et d'amour.

Contenu

Dédicaces

Cette dédicace va à mon Père Céleste, je m'incline humblement devant Ta grâce infinie et t'offre cette dédicace sincère car au milieu des épreuves et des triomphes, Tu as été ma lumière directrice, ma source inébranlable de force. Dans les moments de désespoir, vous avez élevé mon esprit, me rappelant l'amour sans limites qui m'entoure, merci beaucoup pour votre pardon et votre amour inconditionnel.

Aussi, à tous ceux qui ont pris soin de moi, petits et grands, exprime ma plus profonde gratitude. Votre gentillesse et votre altruisme ont touché mon âme, illuminant les chemins que je parcours. Par vos actes de compassion, vous m'avez montré la beauté de l'humanité, et pour cela, je vous en suis éternellement reconnaissant.

Grand-mère, tu es un phare d'amour et de sagesse dans ma vie. Votre contact doux et vos mots d'encouragement ont fait de moi la personne que je suis aujourd'hui. Dans ton étreinte, je trouve du réconfort, sachant que ton amour me guidera pour toujours.

Et enfin, mon très cher Liam, mon précieux fils, tu es incarnation de la joie et de l'espoir. Dans ton rire, je trouve de force et dans tes yeux innocents, je vois un avenir rempli de possibilités infinies. Ta présence dans ma vie m'a appris le vrai sens de l'amour inconditionnel, et j'ai pour toujours la chance d'être ta mère, je t'aime de tout mon cœur gamin !

Gratitude

Alors que je réfléchis à mon parcours, mon cœur déborde de gratitude pour les expériences, à la fois joyeuses et stimulantes, qui ont fait de moi la personne que je suis aujourd'hui. Je suis touché par les leçons apprises, la croissance réalisée et la force découverte en cours de route.

Depuis mon enfance à La Romana, en République Dominicaine, Aux épreuves et aux triomphes de l'adolescence, chaque chapitre de ma vie a été un témoignage de résilience et de détermination. À travers tout cela, je suis reconnaissant pour le soutien indéfectible de mes proches et pour l'amour inébranlable de Dieu.

J'exprime ma profonde gratitude pour la femme que je suis aujourd'hui, le présent, car c'est un cadeau que je chéris car chaque instant qui passe est une opportunité d'embrasser la beauté de la vie et d'avoir un impact positif sur le monde. Je suis également reconnaissant pour les bénédictions qui m'entourent, l'amour de ma famille et de mes amis, l'abondance d'opportunités et la capacité de poursuivre mes passions.

En regardant vers l'avenir, je suis rempli d'espoir et d'enthousiasme. Je suis reconnaissant pour les rêves qui résident en moi et qui me propulsent vers l'avant. Avec la foi comme guide, j'avance avec confiance vers l'inconnu, sachant que chaque défi est une opportunité de croissance et que chaque revers est un tremplin vers le succès.

Par-dessus tout, mon cœur est rempli de gratitude pour le pouvoir du pardon. C'est grâce au pardon que j'ai trouvé la guérison, la libération et la paix intérieure. En abandonnant les rancunes et en embrassant la compassion, je m'ouvre à un monde rempli d'amour et de compréhension.

Dans ce livre, je célèbre la beauté de mon voyage, la force de mon esprit et le pouvoir du pardon et de la gratitude. Puissent ces paroles inspirer les autres à profiter des bénédictions de leur propre vie, à surmonter l'adversité et à favoriser un esprit de pardon. Soyons reconnaissants pour chaque expérience, car elles ont fait de nous les êtres magnifiques que nous sommes aujourd'hui.

Introduction

u milieu des tempêtes les plus sombres de la vie, il existe une lueur d'espoir, une lueur de lumière qui a le pouvoir de transformer même les âmes les plus brisées. C'est une histoire de triomphe sur adversité, un témoignage de l'amour et de la grâce insondables de ieu qui peuvent insuffler une nouvelle vie à ceux qui sont fatigués et perdus.

Bienvenue dans S'épanouir dans Radiance : Un mémoire sur la içon dont l'amour et la grâce de Dieu m'ont sauvé la vie. Dans les ages de ce livre, je vous invite à embarquer pour un voyage – un oyage qui vous mènera à travers les profondeurs les plus profondes du désespoir et vous mènera vers les hauteurs vertigineuses de la rédemption et du renouveau. Ce mémoire n'a rien à voir avec la perfection ou avec un récit bien ficelé ; il s'agit de mes aspects ésordonnés, compliqués et beaux de la vie qui font de moi ce que je suis.

m'appelle Claritza Rausch Peralta et depuis que je suis petite, j'ai toujours eu du mal à trouver ma véritable identité et à naviguer dans les complexités du but, de l'amour et des relations. Cela semblait être un voyage sans fin, rempli de confusion et de hagrin. Cependant, à travers tout cela, j'ai trouvé du réconfort et de l'épanouissement dans ma foi en Dieu. En grandissant, je me ntais souvent perdu et incertain de qui j'étais vraiment, j'aspirais à acceptation et à l'amour, mais à chaque rejet et déception, j'avais mpression de flotter sans but, à la recherche de quelque chose qui me donnerait une direction et accomplissement.

Dans les moments les plus sombres de mon existence, quand tou semblait perdu, l'amour de Dieu s'est approché et m'a embrassé Sa grâce brillait au milieu des ombres, illuminant un chemin ve la guérison et la restauration. C'est grâce à son amour inébranlable que j'ai trouvé la force d'affronter mon passé, d'affronter mes peurs et d'accepter la transformation qui m'attendait.

Vous voyez, Dieu est l'auteur ultime, et Il sait exactement comment créer un beau récit, même à partir des désordres les plus enchevêtrés. Tout comme un écrivain talentueux, il sait comment créer des tensions, créer des rebondissements et finalement apporter une résolution satisfaisante. Il peut transformer notre désordre en message, notre douleur en objec et nos échecs en opportunités de croissance.

Lorsque nous faisons confiance au plan de Dieu, nous pouvor trouver du réconfort en sachant qu'Il travaille tout pour notr bien. Cela n'a peut-être pas toujours de sens sur le moment, m nous pouvons être assurés que chaque chapitre de notre vie fa partie d'une histoire plus grande et plus grandiose. Et comme toute grande histoire, il y aura des moments de rire, de larme d'amour et de triomphe.

S'épanouir dans l'éclat Est un témoignage de la puissance de la foi, de la résilience et du pouvoir rédempteur de l'amour de Dieu. C'est une histoire qui véhicule un message universel : peu importe à quel point nous nous sentons perdus ou brisés, peu importe jusqu'où nous nous sommes égarés, il y a toujours un espoir de restauration.

Avec un cœur ouvert et un esprit résilient, je partage les épreuves et les triomphes qui ont fait de moi la personne que je suis aujourd'hui.
Du fond d'une enfance triste, en passant par les turbulences de l'adolescence, jusqu'à la sagesse et la force que j'ai acquises en tant qu'adulte.

J'ai pris la décision de m'ouvrir de la manière la plus vulnérable possible. Il est important pour moi de partager ma vérité, brute et non filtrée, afin que les autres puissent trouver réconfort et compréhension dans leur propre voyage. À travers les pages de ce livre, j'espère vous inspirer à croire au pouvoir miraculeux de l'amour de Dieu.

Puissiez-vous trouver le courage d'affronter vos propres démons et la force de les surmonter. Puissiez-vous découvrir, comme moi, que même les morceaux les plus brisés de notre vie peuvent être transformés en quelque chose de beau.

Alors, je vous invite à tourner la page et à embarquer dans ce voyage avec moi. Découvrons ensemble l'incroyable pouvoir de guérison et de transformation de l'amour et de la grâce de Dieu.

Puisse ce mémoire servir de lueur d'espoir, vous guidant vers une vie radieuse et pleine de sens.

Partie un

Mon enfance

Moi petite fille, en République Dominicaine

Pendant que je vivais à Porto Rico

Vivre aux États-Unis

J'avais environ 5 ans sur cette photo

Chapitre 1

Qui suis je?

Dans l'humble ville de La Romana, nichée au cœur de la République dominicaine, une âme radieuse est venue au monde un jour de novembre. Cette âme, c'était moi, même si ma véritable identité resterait un mystère pendant des années.

J'ai été accueilli dans un monde rempli d'amour et de chaleur. C'est du moins ce que je croyais. Je ne le savais pas, mon voyage de découverte de moi-même était sur le point de commencer, révélant les subtilités de mon passé et façonnant la personne que je deviendrais.

Vous voyez, dès l'âge de neuf mois seulement, ma mère biologique m'a confié aux soins affectueux de ma grand-mère. Aux yeux d'un enfant, ma grand-mère était tout pour moi. Mon phare, ma protectrice, ma mère. Je me délectais de la joie de sa présence, ignorant les secrets cachés sous la surface.

Ce n'est qu'à l'âge de sept ans que la vérité a été révélée, brisant l'illusion à laquelle je m'étais accrochée depuis si longtemps. Ma grand-mère, la femme que j'avais adorée et vénérée, n'était pas ma mère biologique. Cette révélation a envoyé une onde de choc dans mon jeune cœur, me laissant avec tant d'émotions et de questions.

Qui suis-je, vraiment ? D'où je viens ? Ces questions dansaient dans mon esprit, alimentant en moi une curiosité implacable. Ainsi a commencé mon voyage de découverte de soi, une quête pour trouver les pièces manquantes de mon identité.

Je m'en souviens comme si c'était hier, le jour où mon monde innocent a été brisé en un million de morceaux.

« Maman Luisa » était tout pour moi, elle l'est toujours. Son amour était comme une force imparable, m'enveloppant dans son étreinte réconfortante. Elle était mon guide, mon rocher et ma confidente. J'ai chéri nos moments ensemble, qu'il s'agisse de regarder une « Novela » ensemble, de marcher jusqu'à l'église avec ma « Madrina » Eroina, ou de me préparer le petit-déjeuner et de m'emmener à l'école « La escuelita ».

Mais un jour, ma voisine, qui est comme un membre de notre famille, s'est assise à côté de moi avec une expression douloureuse sur le visage et m'a dit :

"Mama Luisa n'est pas ta vraie mère"

J'ai eu du mal à comprendre la réalité qui m'avait été cachée pendant si longtemps. Des questions tourbillonnaient dans mon esprit, exigeant des réponses qui semblaient tout simplement hors de portée.

Qui était ma vraie mère ? Pourquoi ce secret m'avait-il été caché ? Et surtout, pourquoi ça faisait si mal ?

Avant de découvrir que ma grand-mère n'était pas vraiment ma mère, j'ai eu une enfance merveilleusement heureuse en tant que petite fille. Ayant grandi dans mon quartier, connu sous le nom de "Los Multis Familiares",
J'étais un enfant plutôt populaire. Ma meilleure amie, qui était comme une sœur, s'appelait Dorys, et j'avais des amis tout autour et je me retrouvais toujours en visite chez les voisins. En fait, je vivais même avec quelques-uns d'entre eux de temps en temps, car ma grand-mère avait un visa et devait faire des allers-retours entre Porto Rico et la République dominicaine.

Ce furent vraiment certains des meilleurs moments de ma vie. La chaleur et l'amour que je ressentais de la part de mes voisins étaient incroyables. Ils m'ont traité comme le leur et j'avais l'impression d'avoir une famille élargie juste là, dans le quartier. Nous jouions à des jeux, partagions des repas et créions ensemble des souvenirs inoubliables.

Ma grand-mère, que je croyais être ma mère à l'époque, veillait toujours à ce que je me sente aimée et soignée.
Ses voyages fréquents n'ont jamais diminué le lien que nous partagions, car elle revenait toujours avec des histoires et des cadeaux qui me faisaient me sentir spécial et chéri.

Decouvrir la vérité sur ma mère biologique a été un moment qui a changé ma vie. C'était pour le moins douloureux et déroutant, ça a été un choc pour moi. C'était comme si quelqu'un avait réorganisé toutes les pièces du puzzle de mon identité et, tout à coup, j'ai dû trouver ma place.

J'ai remis en question tout ce que je savais sur moi-même, ma famille et ma place dans le monde.

Mais cela n'a rien changé au fait que ma grand-mère m'a appris le pouvoir de l'amour, de la résilience et des liens incassables.

Dès mon entrée dans sa vie, « Maman Luisa » m'a embrassé à bras ouverts, me comblant de chaleur et d'affection.
Elle a vu au-delà du superficiel et a reconnu l'essence de mon être.
Elle a consacré sa vie à me soutenir et à m'élever, en faisant toujours passer mes besoins avant les siens.

Même lorsque nous sommes physiquement séparés, je pouvais sentir sa présence dans mon cœur, me guidant vers le chemin de droiture.

Elle occupera toujours une place spéciale dans mon cœur, en tant que femme qui m'a aimé inconditionnellement et qui a façonné la personne que je suis aujourd'hui.

Mais cela n'a rien changé au fait qu'en tant qu'enfant, je me suis retrouvé aux prises avec une myriade d'émotions. Je ne pouvais pas comprendre comment quelque chose d'aussi fondamental, quelque chose qui définissait mon existence même, m'avait été caché pendant si longtemps.

Chapitre 2

Une surprise qui change la vie

« Mama Luisa » m'a surpris avec la nouvelle la plus incroyable : nous voyageons à Porto Rico.

Un élan de pure joie m'a submergé lorsque j'ai réalisé l'immense signification de cette opportunité de voyager avec ma grand-mère dans un endroit si différent de mon pays natal, la République Dominicaine. C'était ma toute première fois dans un avion et j'étais rempli d'excitation et de papillons dans le ventre. J'étais sur le point de partir en voyage à Porto Rico et j'avais hâte d'explorer cette magnifique île avec ma grand-mère à mes côtés. Je savais au plus profond de mon âme que ce voyage serait tout simplement transformateur, et c'est au moment où nous avons posé le pied sur l'île qu'une connexion inexplicable s'est formée.

Porto Rico m'a accueilli à bras ouverts. Dès le premier jour, je me suis retrouvé entouré de tantes et d'oncles. En leur présence, j'ai ressenti un profond sentiment d'appartenance, un lien profond avec une partie de moi qui attendait d'être découverte. J'étais vraiment heureux. Plus tard, ma tante est arrivée dans sa voiture pour venir me chercher, rayonnante d'excitation. Elle avait prévu une sortie spéciale pour nous et j'avais hâte de voir où elle m'emmenait. Alors que nous roulions dans les rues animées de Porto Rico, elle m'a tout raconté sur son restaurant à Piñones.

Dès que nous sommes entrés dans le restaurant, j'ai été accueilli par l'arôme chaleureux de la délicieuse cuisine portoricaine. Les murs étaient ornés d'œuvres d'art vibrantes, illustrant la riche histoire et la culture de l'île. Elle a insisté pour que j'essaye son fameux mofongo, un plat composé de purée de plantains et d'une variété de garnitures salées. C'était un véritable chef-d'œuvre culinaire, débordant de saveurs qui dansaient sur mes papilles. Pendant que je mangeais, elle m'a raconté son parcours dans la restauration, elle m'a dit qu'elle avait aussi un restaurant sur la plage et qu'elle m'emmènerait le week-end.

J'étais vraiment heureux d'être à Porto Rico.

Les couleurs vibrantes, la chaude brise tropicale et les sourires accueillants des habitants m'ont immédiatement fait me sentir chez moi. À chaque coin de rue où je me tournais, il y avait quelque chose de nouveau à découvrir et à explorer. J'ai quitté Piñones avec un cœur plein de gratitude et une nouvelle appréciation pour la culture vibrante et les délices culinaires de Porto Rico.

Cette nuit-là, alors que je suis arrivé chez moi, je ne savais pas que le destin me réservait quelque chose, lorsque le téléphone de la maison a sonné et que lorsque je l'ai décroché, une voix familière a rempli mes oreilles. C'était mon oncle qui m'appelait pour me dire d'être prêt demain matin parce qu'il m'emmenait rencontrer quelqu'un de spécial

Qui pourrait être cette mystérieuse personne spéciale ?

J'ai imaginé toutes les possibilités, ressentant un sentiment d'émerveillement et d'excitation envahir mon être. Je ne savais pas que cette rencontre allait changer à jamais le cours de ma vie.

En arrivant, j'ai trouvé mes yeux à la recherche de cette personne spéciale que mon oncle avait dit vouloir que je rencontre. Alors que je regardais autour de moi, il y avait une femme qui sortait de chez elle pour dire bonjour à mon oncle. Elle lui a demandé qui était la petite fille et mon oncle m'a demandé si je savais qui elle était.

Ce jour-là, j'ai rencontré ma mère biologique.

Le jour où j'ai rencontré ma mère est un souvenir qui restera gravé à jamais dans mon cœur. C'était un mélange d'émotions, de peur, de nervosité, d'incertitude. Je ne savais pas comment réagir ni quoi dire.

Aurais-je dû serrer fort dans mes bras, laissant toutes les émotions s'exprimer ? Ou aurais-je dû fondre en larmes, submergé par un flot d'émotions qui s'accumulait depuis des années ? J'aurais peut-être dû murmurer à mon oncle pour lui demander si nous pouvions partir, me sentant trop dépassé pour affronter ce moment.

Mais au milieu de toutes ces pensées contradictoires, je savais au fond de moi que c'était une opportunité que je ne pouvais pas laisser passer.

Rencontrer ma mère biologique était
un moment qui avait le potentiel d'apporter une clôture, une compréhension et un sentiment d'identité.

J'étais choqué. Alors que je m'approchais d'elle, mon cœur battait à tout rompre dans ma poitrine. Il était clair qu'elle était également choquée et qu'elle attendait ce moment.

J'ai pris une profonde inspiration, rassemblant tout le courage que j'avais en moi, et j'ai tendu la main pour la serrer dans mes bras.

Les larmes coulaient sur mon visage. Je ne savais pas quoi dire.

À ce moment-là, j'ai réalisé que rencontrer ma mère biologique n concernait pas seulement moi. Il s'agissait d'embrasser le passé, aussi compliqué ou douloureux soit-il.

En entrant chez elle, j'ai remarqué des bières, des cigarettes et de l musique très forte. J'étais confus. Je me sentais étrange.

J'ai rencontré mes autres sœurs et nous avons passé le reste de la journée à discuter et à faire connaissance.

Et tandis que je regardais ma mère, mes questions ne faisaient qu se multiplier.

Pourquoi a-t-elle choisi de s'en aller ? Quelles étaient ses raisons Pourquoi n'ai-je pas eu la chance de lui parler en République Dominicaine ? Et maintenant que je suis chez elle, pourquoi y a-il autant d'alcool et de cigarettes dans la maison ? Ont-ils joué u rôle dans sa décision de partir ? Étaient-ils un mécanisme d'adaptation ? Ou étaient-ils simplement le reflet de ses luttes et d ses difficultés ?

J'ai abordé le sujet avec un cœur ouvert et une envie de comprendre. Je savais que la blâmer ne m'apporterait pas la conclusion que je cherchais. Au lieu de cela, j'aspirais à une connexion, à une opportunité d'avoir une conversation et de trouver une conclusion, mais j'avais toujours l'impression que je n'avais pas ma place ici.

Vous voyez, rencontrer votre mère biologique peut être une grosse affaire pour de nombreuses personnes. C'est un moment souvent rempli d'anticipation, de curiosité et peut-être même d'anxiété. Mais pour moi, c'était différent. Je n'ai tout simplement pas ressenti la même excitation ni le même désir de la rencontrer ou de rencontrer qui que ce soit.

Au lieu de cela, mon cœur avait envie de ma grand-mère. C'est elle qui m'a nourri, qui m'a appris des leçons de vie et qui m'a toujours fait sentir en sécurité et à l'aise.

Je me sentais simplement content de la famille que j'avais déjà.

J'ai appelé mon oncle et lui ai demandé de venir me chercher. En montant dans la voiture, je n'ai pas pu m'empêcher de ressentir un sentiment de soulagement. Le poids de cet événement capital a été soulagé de mes épaules et j'ai enfin pu traiter tout ce qui venait de se passer.

Alors que nous nous dirigions vers la maison de ma grand-mère, une vague d'émotions a commencé à m'envahir. Les pensées de mon enfance, les innombrables souvenirs et l'amour inconditionnel que j'ai reçu d'elle ont inondé mon esprit. Je n'ai pas pu m'empêcher de ressentir un immense sentiment de gratitude de l'avoir dans ma vie.

Quand nous sommes arrivés à la maison, je suis sorti de la voiture et je l'ai vue attendre sur le porche. La vue de son sourire chaleureux m'a immédiatement fait monter les larmes aux yeux. Sans hésitation, je me suis précipité vers elle et je l'ai serrée fort dans mes bras, incapable de contenir plus longtemps le flot d'émotions.

À ce moment-là, j'ai réalisé que peu importe ce qui s'était passé ou ce qui m'avait amené à ce stade de ma vie.
Ma grand-mère était ma vraie mère, celle qui avait toujours été là, m'aimant et me soutenant inconditionnellement et c'est à ce moment-là que j'ai su, sans aucun doute, que l'amour de ma grand-mère serait toujours le cadeau le plus précieux de ma vie.

Mais je ne savais pas que ma vie était sur le point de prendre une fois de plus une tournure inattendue.

Quelques mois plus tard, ma famille m'a fait asseoir et m'a annoncé la nouvelle en douceur. Que je déménagerais à Philadelphie pour vivre avec ma tante et que j'aimerais y être, elle avait une fille de mon âge et j'adorerais la neige.

Je ne pouvais pas comprendre l'ampleur de cette décision. Les questions me traversaient l'esprit comme d'habitude, et un mélange d'excitation et d'appréhension remplissait mon cœur mais en tant qu'enfant de huit ans, j'étais bien sûr excité de voir la neige.

Chapitre 3

Rue Pennypack

Lorsque je suis arrivé aux États-Unis, je me souviens avoir senti un frisson parcourir mon corps lorsque je descendais de l'avion. Venant de Porto Rico, un climat plus chaud, Je n'étais pas vraiment préparé au froid qui m'a accueilli. Mais je ne savais pas que la chaleur de l'amour de ma tante et l'excitation de la voir, elle et sa famille, m'attendre à l'aéroport allaient rapidement dissiper tout froid persistant.

Alors que je traversais l'aéroport, mon cœur battait à tout rompre. Cela faisait des années que je n'avais pas vu ma tante et l'idée de la retrouver me remplissait de joie. Je n'ai pas pu m'empêcher de sourire en repérant son visage familier dans la foule. Elle était telle que je me souvenais d'elle, peau blanche et belle. "Hola Clari" dit-elle en me serrant dans ses bras.

Alors que nous nous dirigions vers la voiture, la famille de ma tante m'a accueilli à bras ouverts et avec de grands sourires. Ils étaient tout aussi impatients de me rencontrer que moi de les voir. J'ai rencontré son mari, sa fille, son fils et j'ai revu Melissa. Je me suis souvenu d'elle parce que je l'ai rencontrée en République Dominicaine, lorsqu'elle y était allée avec sa mère.

Finalement, après ce qui me sembla une éternité, j'étais arrivé à Pennypack Street. En sortant de la voiture et en observant mon environnement, je n'ai pas pu m'empêcher de ressentir un sentiment d'excitation et d'anticipation. Cela allait être ma nouvelle maison et j'avais hâte d'explorer tout ce qu'elle avait à offrir. J'ai rencontré mes cousins, Andia, Deida et Willy, qui vivaient également là-bas.

Ma nouvelle maison à Pennypack était assez différente de la maison dans laquelle je vivais à Porto Rico, mais dans le bon sens. La maison était beaucoup plus spacieuse et comportait plusieurs pièces nous permettant d'avoir plus d'intimité et d'espace personnel. C'était merveilleux d'avoir autant d'espace pour bouger.

Ma cousine Melissa et moi sommes devenues sœurs et sommes allées partout ensemble. Nous nous sommes habillés pour Halloween, avons passé du temps avec des amis dans le quartier, nous sommes fait les ongles et nous avons littéralement tout fait ensemble.

Bientôt, Pennypack Street est rapidement devenue plus qu'une simple adresse pour moi ; c'est devenu un endroit où je ressenta un sentiment d'appartenance. Les voisins amicaux m'ont accueil à bras ouverts et la communauté très unie a facilité la création c nouvelles amitiés. Des fêtes de quartier aux barbecues impromptus, il se passait toujours quelque chose sur Pennypac Street.

L'un des moments forts de la vie sur Pennypack Street était de fréquenter l'école Thomas Holmes située à proximité.

Ma première année à l'école Thomas Holme, par où dois-je commencer ?

C'était un véritable tour de montagnes russes. J'ai commencé en deuxième année et venant de Porto Rico, je me suis retrouvé dans un tout nouveau monde, entouré d'une langue que je comprenais à peine et sans aucun ami à mes côtés. C'était pour le moins difficile.

Ne pas connaître l'anglais rendait tout deux fois plus difficile. Des tâches simples comme commander un déjeuner ou demander mon chemin sont devenues d'énormes obstacles pour moi. Je me sentais souvent perdu et frustré, incapable de m'exprimer pleinement ou de comprendre ce que les autres disaient.

Mais tu sais quoi? Malgré les difficultés initiales, je n'ai jamais abandonné. J'étais déterminé à tirer le meilleur parti de mon séjour à l'école Thomas Holme, quoi qu'il arrive, et petit à petit, les choses ont commencé à changer pour le mieux.

Je me souviens de ma première enseignante, Mme Brown, elle était incroyablement patiente et compréhensive. Elle s'est assurée de décomposer les choses pour moi, en utilisant des visuels et des gestes pour m'aider à comprendre la langue. Je dois admettre que c'était parfois un peu embarrassant, mais
la gentillesse et les encouragements de Mme Brown m'ont permis de continuer. Malheureusement, elle est décédée cette année-là, qu'elle repose en paix.

En raison de la barrière de la langue, j'ai dû redoubler la deuxième année.
J'ai ensuite eu Mme Norton, la professeure que je considérais comme la meilleure enseignante de tous les temps, et c'est à ce moment-là que mon anglais a commencé à s'améliorer.

Au moment où je suis arrivé en troisième année, quelque chose d'incroyable s'est produit.
Je connaissais enfin l'anglais !

C'était une étape très importante pour moi et j'avais hâte de commencer à communiquer avec mes camarades de classe et à me faire de nouveaux amis.

Je ne savais pas que ce serait le début d'une amitié pour la vie.

L'une des premières personnes avec qui j'ai contacté était une fille nommée Nina. Nina et moi, dès notre rencontre, c'était comme si nous nous connaissions depuis toujours. Nous sommes rapidement devenus inséparables et notre lien s'est renforcé de jour en jour.

En tant qu'enfants, nous partagions des secrets, riions ensemble et nous soutenions mutuellement dans les bons comme dans les mauvais moments.

Nous sommes également devenus très populaires à l'école. C'était une expérience tellement surréaliste pour deux jeunes enfants comme nous, mais nous nous sommes embrassés ! C'était incroyable de constater le pouvoir de l'amitié et la façon dont elle pouvait combler les fossés entre différentes cultures, langues et origines. Notre amitié est devenue un catalyseur d'unité et d'acceptation au sein de notre école.

Nina et moi avons partagé d'innombrables aventures ensemble, comme dormir chez l'autre, acheter des collations à Wawa avant l'école, sortir avec sa famille et bien plus encore. Nous avons ri, nous avons pleuré et nous avons créé des souvenirs qui dureraient toute une vie.

La troisième année a été sans conteste l'une des meilleures années scolaires de ma vie. Non seulement j'ai eu des professeurs fantastiques et je me suis fait des amis formidables, mais ma famille a également déménagé dans une nouvelle maison sur Outlook, ce qui a rendu tout encore plus excitant.

La maison sur Outlook était un véritable joyau ! était tellement plus grand et plus joli que celui de Pennypack. Dès que vous franchissez la porte d'entrée, vous serez émerveillé par l'espace et la beauté de ce lieu.
Melissa et moi partagions une chambre et nous recevions toujours des amis. La cour était le point culminant de cette maison, nous avions une piscine et une belle vue sur le parcours de golf.

J'étais également heureux du fait que ma nouvelle maison était beaucoup plus proche de l'école, à seulement quelques pâtés de maisons. Je me souviens à quel point j'étais ravi lorsque j'ai découvert que l'école n'était qu'à quelques pâtés de maisons. C'était une sensation tellement merveilleuse de quitter ma maison le matin et de me lancer dans une courte et tranquille promenade jusqu'à l'école.

Lors de ces promenades vers l'école, je m'arrêtais souvent chez Nina. Elle habitait à quelques maisons de la mienne et notre amitié s'est encore plus épanouie au cours de cette année scolaire.

Nous riions et discutions de nos projets pour la journée, attendant avec impatience les aventures qui nous attendaient à l'école.

Chapitre 4

Relations et rejets

En grandissant, je me suis toujours senti comme un étranger, ayant soi[f] d'acceptation et d'amour de la part de ceux qui m'entouraient. Il sembla[it] que peu importe mes efforts, je me heurtais toujours à un rejet. Le reje[t] que j'ai ressenti en raison du sentiment de ne pas avoir grandi avec me[s] parents a eu un impact durable sur mon estime de soi et ma confiance e[n] moi. J'ai commencé à construire des murs autour de mon cœur, craigna[nt] que si je laissais entrer quelqu'un, il finirait par me faire du mal à moi au[ssi]. Ce sentiment d'être non désiré et mal aimé m'a suivi tout au long de m[on] enfance et de mon adolescence, jusqu'à ce que je rencontre le pouvoi[r] transformateur de l'amour et de la grâce de Dieu. Continuons la lecture [de] ce chapitre.

En quatrième année, Nina et moi étions toujours les meilleures amies [du] monde.
Nous trouvions toujours le temps de jouer au double néerlandais penda[nt] la récréation et de nous asseoir ensemble à la même table pour le déjeun[er]. Notre amitié s'étendait également au-delà de l'école, car nous traînio[ns] souvent le week-end. C'étaient des journées remplies de rires, de plaisi[r] d'innombrables souvenirs. Que nous explorions le quartier, passions d[es] soirées pyjama ou partions à l'aventure, Nina et moi étions inséparables[. Je] me souviens aussi de ces coups de cœur à l'école primaire,
C'était un moment tellement amusant et innocent, plein de nouvelle[s] sensations et de découvertes passionnantes. Une personne qui a fait bat[tre] mon cœur était un enfant que, pour une raison quelconque, Nina et m[oi] pensions qu'il était si mignon. C'est drôle de repenser à ces jours-là et à [la] façon dont nous riions et chuchotions à son sujet pendant la récréation [et] à l'heure du déjeuner.

Il était drôle et beau. Je me souviens avoir senti des papillons dans mon estomac chaque fois qu'il était là. C'était un mélange d'excitation et de nervosité, je ne savais pas quoi dire ni comment agir. Ce sont ces moments qui ont rendu mon école primaire si mémorable.

Mais pour une raison quelconque, je ne pouvais pas lui dire que je l'aimais ou me débarrasser du sentiment qu'il ne m'aimait pas vraiment. Je sais que cela peut paraître idiot de s'attarder sur de telles choses de notre enfance, mais c'est à cette époque que j'ai commencé à reconnaître la douleur du rejet et de l'insécurité.

En grandissant, j'ai eu tendance à me comparer et à me remettre en question ou à remettre en question mes relations. J'ai souvent ressenti un sentiment d'abandon et j'ai porté ce bagage émotionnel avec moi en vieillissant.

C'est drôle de voir à quel point nos expériences d'enfance peuvent façonner la façon dont nous percevons et abordons les relations plus tard dans la vie. Pour moi, c'était difficile de faire pleinement confiance à quelqu'un et de m'ouvrir à quelqu'un, craignant qu'il me quitte aussi, comme ma mère l'a fait. Cela a conduit à un besoin constant d'être rassuré à la peur du rejet. Cependant, le sentiment d'insécurité et de rejet n'était pas uniquement lié à l'absence de ma mère. Cette situation a été encore aggravée par les expériences que j'ai vécues lorsque je vivais avec ma tante. Même si elle m'a accueilli et pourvu à mes besoins fondamentaux, il y avait un vide émotionnel indéniable dans notre relation.

Maintenant que je suis plus âgé, je me retrouve à réfléchir à mon enfance et combien j'aurais aimé être élevé par ma mère et mon père. Les défis et les difficultés auxquels j'ai été confronté en grandissant m'ont fait prendre pleinement conscience de l'impact qu'un environnement familial stable et aimant peut avoir sur le bien-être d'un enfant. Grandir sans la présence de mes deux parents dans ma vie a été sans aucun doute difficile. Je ne peux m'empêcher de me demander à quel point les choses auraient pu être différentes si j'avais connu l'amour et le soutien de ma mère et de mon père.

Tout au long de ma vie, j'ai été confronté à pas mal de problèmes relationnels, et cela n'a pas toujours été facile. J'ai lutté contre des sentiments d'abandon, une faible estime de moi et la douleur d'être humilié ou négligé.

Parfois, nous nous retrouvons dans des situations où nous avons l'impression d'être constamment déçus ou laissés pour compte. Ces sentiments d'abandon peuvent déclencher des insécurités profondément ancrées et rendre difficile la confiance en autrui. Il es difficile de ne pas remettre en question notre propre valeur lorsque nous nous demandons constamment pourquoi quelqu'un choisirait de nous quitter.

L'humiliation peut également jouer un rôle important dans la façon dont nous nous percevons dans les relations. Lorsque nous sommes constamment embarrassés ou ridiculisés, il est naturel de commence à douter de notre propre valeur. Nous pouvons commencer à croir que nous ne méritons pas d'amour et d'affection, ce qui peut avoir un impact profond sur notre capacité à nouer des liens sains avec le autres.

La négligence, qu'elle soit intentionnelle ou non, peut être incroyablement préjudiciable à notre estime de soi. Lorsque nous nous sentons ignorés ou négligés, cela peut conduire à des sentiments d'insignifiance et de solitude. Nous pouvons commence à nous demander pourquoi nous ne sommes pas assez importants pour recevoir l'attention et les soins que nous désirons.

Mais voici ce que j'ai appris aujourd'hui.

Nous ne sommes pas définis par nos expériences passées ou les défi auxquels nous avons été confrontés. Nous avons le pouvoir de guér et de grandir après ces moments difficiles.

En plus du fait, en quatrième année, tout a commencé à se mettre en place et mon monde a commencé à prendre un sens.

J'ai aussi été adoptée.

Malgré la relation que j'avais avec ma mère adoptive quand j'étais enfant. Je ne peux m'empêcher de me sentir béni et submergé de gratitude lorsque je pense à mon père adoptif. Il a été une présence incroyable dans ma vie, quelqu'un qui m'a aimé et soutenu inconditionnellement.

À ce moment-là, j'ai enfin ressenti une seconde chance de bonheur et un sentiment d'appartenance. Je me suis retrouvé entouré d'une famille, d'amis formidables et je suis même devenu très populaire à l'école.

Je me souviens de la sensation d'entrer dans la salle de classe chaque matin, accueillie par des sourires chaleureux et des bonjour amicaux. Mes amis de quatrième année étaient vraiment exceptionnels. C'était le genre d'amis qui vous soutenaient toujours, qui vous faisaient sentir accepté et aimé exactement pour qui vous étiez. La quatrième année a apporté un sentiment appartenance et un but. J'ai découvert mes forces et mes intérêts et j'ai été encouragé à les poursuivre sans réserve. Que ce soit en participant à des activités scolaires, en mettant en valeur ma créativité ou en excellant sur le plan académique, j'ai eu un nouveau sens du but et de l'orientation.

Mais, bien sûr, cela n'a pas duré si longtemps, des mois plus tard, ai reçu des nouvelles inattendues de ma tante qui ont bouleversé on monde. On m'a dit que je devais retourner dans mon pays, la République Dominicaine.

Je n'ai jamais vraiment compris pourquoi ma tante avait pris la décision de me ramener en République Dominicaine.
D'après ce que j'avais compris, c'était parce que je vivais illégalement aux États-Unis, mais honnêtement, je sentais qu'il y avait plus.

Je me souviens très bien de ce moment de mon enfance où elle m'a annoncé la nouvelle que je retournerais en République Dominicaine.
À l'âge de 10 ans, je dois l'admettre, j'étais envahi par un élan de colère que je n'avais jamais ressenti auparavant. Je m'étais habitué à la vie que j'avais construite ici. L'idée de laisser derrière moi mes amis, l'école et tout ce qui me était familier était tout simplement trop difficile à supporter. Je ne comprenais pas pourquoi je devais tout laisser derrière moi et recommencer à zéro. Je me sentais comme un petit bateau ballotté dans une mer agitée, incapable de contrôler mon propre destin.
La colère est montée en moi, alimentant des sentiments de frustration et de confusion.

Aujourd'hui, en tant qu'adulte, je réfléchis à cette époque avec une perspective différente. Tout d'abord, je tiens à souligner que je n'éprouve plus de ressentiment envers ma tante et ses décisions.
Je la bénis et je lui pardonne.
Je reconnais qu'à cette époque, elle prenait des décisions par souci du bien-être de sa famille.

J'étais trop jeune pour comprendre pleinement les complexités des lois sur l'immigration et les défis auxquels elles auraient pu être confrontées ou pour savoir exactement ce qui se passait. En fin de compte, ce qui compte le plus, c'est la manière dont nous choisissons de sortir de nos expériences passées.

Mais à cette époque, je savais simplement que je laissais derrière moi mes amis, l'école et la seule maison que je connaissais désormais.

Les moments les plus émouvants de ma vie ont été lorsque j'ai dû annoncer à mes amis et camarades de classe que je retournais dans mon pays juste avant d'entrer au collège. Ce fut définitivement une expérience de larmes pour nous tous, car à mesure que j'expliquais les raisons de mon départ, les larmes ont commencé à me monter aux yeux. J'ai fait de mon mieux pour les retenir, mais les émotions étaient accablantes. J'ai regardé autour de moi et j'ai remarqué que mes amis et camarades de classe étaient également émus. C'était difficile de les voir bouleversés, sachant que notre temps ensemble touchait à sa fin.

Cette partie de ma vie a également été déroutante et émouvante pour moi, alors que je me débattais avec la perte de familiarité et l'incertitude de ce qui m'attendait en République dominicaine.

Je dois admettre que j'étais plutôt effrayé et nerveux.

Je n'arrêtais pas de me demander : est-ce que je me souviendrais de suffisamment d'espagnol pour communiquer avec tout le monde ? M'accepteraient-ils comme l'un des leurs, même si j'avais passé la majeure partie de ma vie dans un autre pays ?

Je ne savais pas trop à quoi m'attendre.

Deuxième partie

Embrasser l'amour de Dieu pour surmonter les épreuves de la vie

Vivre en République Dominicaine

Mes années de lycée

Quand j'étais enceinte de mon fil

De retour aux États-Unis

Mon diplôme de
l'Université de Phoenix.

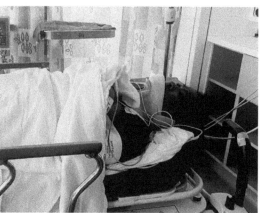

Mon accident de voiture dans lequel
j'ai failli perdre la vie.

Chapitre 5

La Romaine

evenir en République Dominicaine après avoir vécu aux États-Unis a été l'un des moments les plus tristes de ma vie. C'était un tourbillon émotions, laissant derrière moi l'endroit que j'étais venu appeler chez moi, les amis que je m'étais fait et la langue que j'avais apprise.

Je me souviens d'être descendu de l'avion, ressentant un mélange d'excitation et d'anxiété. Je savais que retourner dans mon pays d'origine signifiait retrouver ma famille et mon environnement milier, mais cela signifiait aussi faire face aux défis de la réadaptation à une vie que j'avais laissée derrière moi il y a des années.

L'un des plus grands obstacles auxquels j'ai été confronté était la rrière de la langue. Aux États-Unis, je parlais couramment l'anglais je m'étais habitué à communiquer sans effort avec mon entourage. ais à mon retour en République Dominicaine, j'ai réalisé que mon spagnol était devenu rouillé. C'était frustrant de trébucher sur mes ts et de lutter pour m'exprimer comme je l'avais fait si couramment trefois. Une autre source de tristesse était de laisser derrière moi les amis que je m'étais fait aux États-Unis. Nous avions partagé l'innombrables souvenirs et aventures, et c'était navrant de dire au oir à chacun d'entre eux. Je savais que leurs rires, leur soutien et leur ompagnie me manqueraient. J'avais l'impression qu'un morceau de mon cœur était laissé derrière moi.

Cela signifiait également se réadapter à un mode de vie différer
Le rythme de vie était plus lent et les différences culturelles plu
prononcées. Il m'a fallu du temps pour m'adapter et trouver m
place dans ce nouvel environnement. La commodité et
l'efficacité de la vie aux États-Unis me manquaient, et il était
difficile d'abandonner le confort et la familiarité auxquels je
m'étais habitué.

L'un des plus grands facteurs qui m'ont aidé à m'adapter à ma
nouvelle vie a été la présence de ma grand-mère, bien sûr : «
Maman Luisa était avec moi. Être à nouveau avec elle a appor
un sentiment de confort et de familiarité qui a rendu la transitic
beaucoup plus douce. L'avoir à mes côtés m'a permis de me
sentir en sécurité et rassurée sur le fait que tout irait bien.

Non seulement elle m'a apporté un soutien émotionnel, mais e
m'a également aidé à naviguer dans les aspects pratiques de m
nouvelle vie. Qu'il s'agisse de m'apprendre à naviguer dans le
quartier ou de me présenter de nouveaux amis, elle s'est assuré
que j'avais tous les outils dont j'avais besoin pour m'épanouir
dans ce nouvel environnement.

J'ai finalement trouvé du réconfort en renouant avec ma fami
et des visages familiers.

Au fil du temps, je me suis de plus en plus habitué à ma nouve
vie. Les premiers sentiments d'incertitude et de malaise ont
lentement cédé la place à un sentiment d'appartenance et de
familiarité. Et tout au long de ce processus, ma grand-mère e
restée ma source constante d'amour et de soutien.

Comme le dit le proverbe, toutes les bonnes choses ont une fin. Le moment est venu où ma grand-mère a dû rentrer chez elle à Porto Rico. Ce furent des adieux doux-amers, remplis de larmes et de promesses de rester en contact. Je ne savais pas que cela marquerait le début d'un cauchemar que je n'aurais jamais pu imaginer.

Je me suis retrouvé à vivre d'une maison à l'autre, sans jamais avoir de chez-soi. Le sentiment de stabilité que j'avais brièvement ressenti avec ma grand-mère était désormais remplacé par l'incertitude et le changement constant.

Chaque déménagement a apporté une nouvelle série de défis et d'ajustements.
J'ai dû m'adapter à différents environnements, différentes routines et différents visages. C'était épuisant, physiquement et émotionnellement. Le déracinement constant m'a laissé un sentiment de perte, comme si je flottais sans but dans un océan d'incertitude.

Durant mon séjour en République Dominicaine, j'ai eu l'expérience de me déplacer une dizaine de fois différentes, voire plus si je ne me trompe pas.

J'ai commencé à remarquer un changement subtil dans mon humeur. C'est durant cette période que je crois que ma dépression a commencé à s'installer. Les bouleversements constants et le manque de stabilité ont eu des conséquences néfastes sur mon bien-être mental. J'ai dû m'adapter à de nouvelles routines, me familiariser avec un environnement inconnu et dire adieu au sentiment de familiarité et de confort qu'offre une maison stable.
Cela m'a laissé désorienté et déconnecté.

Le premier endroit où j'ai vécu était chez mon oncle. Tio Puro et sa petite amie, Margo. Ce n'était pas une si mauvaise expérience et aujourd'hui je suis reconnaissant car des années plus tard, mon cher oncle que j'aimais tant est décédé. Mais pendant que je vivais avec eux Margo était gentille et compréhensive et elle m'a fait sentir le bienven chez elle. Cependant, les circonstances ont changé et j'ai dû déménager à nouveau.

Puis je me suis retrouvé à vivre avec le voisin d'à côté. C'était une dynamique différente, mais j'ai apprécié sa volonté de me donner un logement pendant cette période.

Par la suite, j'ai fini par vivre avec la famille de ma meilleure amie Dorys. Depuis que je suis enfant, ils ont toujours pris soin de moi e m'ont aimé comme une autre fille. Ils ont ouvert leurs portes sans hésitation, me considérant comme l'un d'entre eux. C'était réconfortant d'avoir son amour et son soutien, et je leur en serai toujours reconnaissant. Ce qui a rendu sa famille si spéciale pour mo c'est son amour et son acceptation inconditionnels. Ils ne m'ont jam fait sentir comme un étranger vivant avec eux, mais m'ont plutôt accepté comme membre de leur famille.

Puis je me suis retrouvé à vivre avec ma tante, ce qui était une autr histoire.
J'ai également pu vivre chez des proches du côté de ma mère biologique. À quoi ressemble la vie, n'est-ce pas ?

Et bien, c'est comme ça que je l'ai passé, vivant d'une maison à l'aut C'est devenu un phénomène régulier et chaque fois que je devais emballer mes affaires, j'avais l'impression de m'arracher une partie d mon âme. Il était difficile d'établir un quelconque sentiment d'appartenance ou de stabilité dans ma vie. J'avais envie d'un endro que je pourrais appeler chez moi, un endroit où je pourrais me sen en sécurité, aimé et protégé.

Vous vous demandez peut-être pourquoi je n'ai pas mentionné mon père dans ce livre jusqu'à présent.

Eh bien, la vérité est que je n'ai pas grandi avec mon père à mes côtés, mais cela ne veut pas dire que je ne l'aime pas. Je lui suis reconnaissant de m'avoir donné naissance et du soutien financier qu'il m'a apporté lorsque j'en avais besoin. Cependant, lorsqu'il s'agit de lien émotionnel, c'est quelque chose que je n'ai jamais vraiment ressenti avec lui jusqu'à ce que je vieillisse.

En grandissant, mon père et moi avions une relation distante. Rappelez-vous que j'ai été élevé par ma grand-mère, que je suis allé à Porto Rico, où il vit, puis je suis parti aux États-Unis, puis j'étais de nouveau en République dominicaine.

Nous ne passions pas beaucoup de temps ensemble et nos conversations se limitaient souvent à des sujets superficiels, mais ça me convenait.
Je suis sûr qu'il avait aussi ses propres problèmes personnels.

Mais nous nous sommes en fait rapprochés lorsque j'ai déménagé avec sa femme d'alors.

Chapitre 6

Perdu dans les ténèbres

J'étais tellement déprimée que parfois j'aurais aimé ne plus jama
ouvrir les yeux.

Ma vie était vraiment comme une montagne russe, remplie de
rebondissements que je n'avais jamais imaginés. Depuis que j'a
découvert que ma grand-mère, la femme que j'avais toujours cr
être ma mère, n'était pas mon parent biologique.

Puis j'ai dû revenir dans mon pays, la République Dominicaine
après avoir eu l'impression d'être enfin chez moi aux États-Unis
alors que j'essayais d'accepter cette révélation,
Pour aggraver les choses, je me suis retrouvé à vivre de maison
maison, sans jamais avoir d'endroit où je pourrais vraiment
appeler mon chez-moi.

Cet état d'instabilité constant m'a épuisé physiquement et
émotionnellement. Chaque mouvement était comme un nouve
coup porté à mon état d'esprit déjà fragile. La combinaison du
sentiment d'abandon, de la lutte pour s'adapter à une nouvelle v
et du manque continu de stabilité a eu des conséquences néfast
sur ma santé mentale.

Je me suis enfoncé plus profondément dans les ténèbres de la
dépression, perdant espoir et motivation en cours de route.

Au début, vivre avec la nouvelle petite amie de mon père était un cauchemar.

Il semblait que nous venions de mondes différents et c'était comme si elle ne me comprenait tout simplement pas. Je suis sûr que le sentiment était réciproque.

Je ne pouvais pas m'empêcher de penser qu'elle me voyait comme une sorte de menace, quelqu'un qui allait lui enlever mon père ou quelque chose du genre...

Oh, j'ai oublié de mentionner que mon père sortait avec la sœur de Margo, avec qui je vivais aussi avant que mon père ne la rencontre, je m'entendais très bien avec eux, j'ai l'impression que cela a rendu les choses encore plus difficiles pour nous de nous connecter et de trouver un terrain d'entente.

Mais je me suis retrouvé à parler davantage avec mon père.

C'est comme si un tout nouveau niveau de connexion avait été débloqué entre nous. Et au cours de ces conversations, j'ai trouvé le courage de partager avec lui que je n'allais pas bien.

Mais comment dire à une inconnue à ce moment-là, à une personne que je connaissais à peine, à ma belle-mère, que je souffrais de dépression ?

J'ai ressenti un tourbillon de sentiments mitigés, allant de la solitude à la tristesse, de l'anxiété à la dépression, et même un sentiment d'abandon. La solitude s'est installée alors que j'avais du mal à me connecter avec ma belle-mère à un niveau plus profond.

Les mois ont passé et nous apprenions encore à nous connaître, il nous a fallu du temps pour tisser des liens. Il y avait des mome[n]ts où je me sentais comme un étranger dans ma propre maison, aspirant à la familiarité de ma dynamique familiale précédente[.]

Je ne savais plus quoi ressentir. C'était un tourbillon d'émotio[ns] qui me laissait constamment remettre en question mes propre[s] pensées et sentiments. Parfois, j'étais reconnaissant d'avoir au moins un toit au-dessus de ma tête et un lit pour dormir, mais i[l] avait des moments où je me sentais incroyablement seul. C'es[t] pendant ces moments-là que j'ai ressenti un profond sentiment [de] perte et de désir.

L'anxiété est également devenue un compagnon constant pend[ant] cette période.

La peur de ne pas être acceptée ou aimée par ma belle-mère pe[sait] lourdement sur mon esprit. Je m'inquiétais de savoir si je m'intégrerais dans sa vie, si elle me comprendrait et si nous pourrions un jour vraiment nous connecter.
C'était une bataille constante de doutes et d'inquiétudes.

Certains jours, j'avais l'impression qu'un nuage noir planait su[r] moi, rendant difficile la recherche de joie ou de motivation. J'ai eu du mal à trouver un but et j'ai dû travailler dur pour maintenir un état d'esprit positif.

Le sentiment d'abandon était peut-être l'une des émotions les p[lus] difficiles à surmonter.

Alors imaginez ceci, je me suis soudainement retrouvé à vivre avec la petite amie de mon père que je connaissais à peine.

C'était définitivement une situation pour le moins intéressante.

Ce qui rendait cela encore plus étrange, c'était le fait qu'elle était en fait mon professeur. Oui, vous avez bien entendu. La femme avec qui je partageais désormais un espace de vie était ma propre professeure.

et ai-je mentionné qu'elle était chrétienne ?

Lorsque j'ai emménagé chez ma belle-mère, je ne connaissais pas grand-chose de Dieu. En grandissant, ma grand-mère était catholique et nous allions occasionnellement à l'église le dimanche, mais ma compréhension de Dieu était assez superficielle.

Au fil du temps, j'ai commencé à observer ses habitudes quotidiennes.
Elle passait du temps en prière et je la trouvais parfois en train de lire sa Bible. Pour une raison quelconque, je ne pouvais m'empêcher d'être attiré par cela.

Un soir, j'ai eu le courage de lui poser des questions sur sa foi. Je voulais comprendre sa relation avec Dieu, le christianisme en général. Elle m'a patiemment expliqué les bases du christianisme et m'a expliqué comment sa foi avait transformé sa vie.

Chapitre 7

Une rencontre divine

Au milieu de ma dépression, je voulais en savoir plus sur Dieu. J'avais désespérément besoin de réponses, d'espoir et d'un moye de sortir de l'obscurité qui semblait me consumer. Un jour, j'ai rassemblé le courage de prier et lui ai demandé de m'aider. Je n suis retrouvé à genoux, déversant mon cœur et mon âme vers Dieu, implorant de l'aide. C'était un moment de vulnérabilité d'honnêteté, car je me demandais si Dieu existait vraiment. J'a plaidé sincèrement, demandant un signe, une lueur d'espoir qu pourrait me redonner la foi.

J'ai crié: "Si vous êtes réel, s'il vous plaît, aidez-moi s'il vous plaît." »

C'était une prière simple, remplie de sincérité et d'un véritabl désir de trouver du réconfort en sa présence. Je ne savais pas quoi m'attendre, mais je m'accrochais à une lueur de foi que peut-être, juste peut-être, Dieu entendrait mon appel.

Au fur et à mesure que les nuits arrivaient, mes larm aussi coulaient sur mes joues en un flot incessant. Je m souviens comme si c'était hier, c'était un samedi soir, cette nuit-là je me suis endormi en pleurant de désespc

Ce dimanche matin, ma belle-mère m'a approché avec une invitation qui allait changer ma vie à jamais. Elle m'a invité à la rejoindre pour un service dans son église. Intrigué et ouvert d'esprit, j'ai accepté son invitation, ignorant la profonde rencontre avec Dieu qui m'attendait.

Lorsqu'elle m'a invité à aller à l'église avec elle, j'ai senti un mélange de nervosité et de curiosité bouillonner en moi. En tant que personne qui n'avait jamais mis les pieds dans une église chrétienne auparavant, je ne savais pas trop à quoi m'attendre. Mais au fond, je savais que c'était une opportunité de croissance et de nouvelles expériences, alors j'ai décidé de l'accepter à cœur ouvert.

En entrant dans l'église, j'ai été immédiatement frappé par l'atmosphère chaleureuse et accueillante. Le sentiment de communauté et d'unité au sein de la congrégation était palpable et je me suis immédiatement senti à l'aise.

En écoutant le sermon, je me suis retrouvé captivé par les paroles de sagesse et de grâce du prédicateur. Chaque phrase résonnait profondément en moi, remuant mon âme d'une manière que je n'avais jamais connue auparavant. C'était comme si le prédicateur me parlait directement, abordant les doutes et les peurs qui persistaient dans mon esprit. Au milieu de son sermon, il fit une pause et dit : « Il y a quelqu'un ici aujourd'hui qui a besoin d'entendre ça. Le Psaume 27 :10 dit : « Même si ton père et ta mère t'abandonnent, l'Éternel te recevra. »

Alors qu'il se tenait devant la congrégation, prononçant son sermon avec passion et conviction, je n'ai pas pu m'empêcher de remarquer son regard inquisiteur. C'était comme si ses yeux étaient attirés vers moi, à la recherche d'une connexion, d'une compréhension commune qui allait au-delà des simples mots qu'il prononçait.

Lorsqu'il m'a appelé par mon nom, j'ai été choqué et je n'ai pas p m'empêcher de ressentir un sentiment d'anticipation et de curiosité. Je ne savais pas que cette rencontre toucherait mon cœu d'une manière que je n'aurais jamais pu imaginer.

Lorsqu'il commençait à prier pour moi, c'était comme s'il avait u vision divine de ma vie. Il a parlé de tout ce que j'avais vécu depu que j'étais petite, du départ de ma mère, de mon vide et de ma solitude, racontant des moments et des luttes que je n'avais jama partagés avec personne. C'était à la fois choquant et réconfortan de réaliser que Dieu était au courant de chaque détail de mon voyage.

Alors que ses paroles résonnaient dans le sanctuaire, j'ai senti u profond sentiment de paix m'envahir. Le prédicateur a parlé ave une conviction inébranlable, m'assurant que Dieu avait un bu unique pour ma vie. C'était comme si les cieux eux-mêmes s'étaient ouverts, révélant un chemin qui m'était uniquement destiné.

Il m'a également révélé un aperçu de l'avenir qui m'attendait. m'a murmuré des mots d'assurance, proclamant que je retourner bientôt aux États-Unis. Ce fut une révélation qui a rempli mo cœur d'espoir et d'anticipation, car j'avais envie de retrouver l terre qui m'avait façonné pour devenir ce que je suis.

Mais le message prophétique du prédicateur ne s'arrête pas là Il a parlé de bénédictions qui dépasseraient mes rêves les plus fo de bénédictions qui toucheraient non seulement ma vie mais au celles de mon entourage. C'était une proclamation impressionnante qui a allumé un feu en moi, un feu pour vivre vie déterminée et faire une différence dans ce monde.

Les larmes me sont montées aux yeux lorsque j'ai ressenti une présence, qui a alors découvert que c'était la présence du Saint-Esprit qui m'enveloppait. C'était une sensation bouleversante, une connexion profonde avec une puissance supérieure à laquelle j'avais aspiré toute ma vie. À ce moment-là, j'ai su que Dieu me tendait la main, m'offrant son amour, sa compréhension et ses conseils.

Les paroles du prédicateur ont résonné profondément dans mon âme. C'était comme si Dieu me parlait directement, me rappelant que je n'étais pas seul dans mes luttes. Le poids des fardeaux que je portais depuis si longtemps a commencé à s'alléger, remplacé par un sentiment de paix et de réconfort.

À ce moment sacré, j'ai réalisé que Dieu avait été avec moi à chaque étape, même dans les moments les plus sombres. Il m'avait accompagné à travers les défis, les chagrins et les moments de doute. Ce fut une révélation profonde qui m'a rempli de gratitude et d'un sens renouvelé du but.

Pendant qu'il priait pour moi, une vague d'émotions s'est déferlée et j'ai ressenti un lien indescriptible avec quelque chose plus grand que moi. C'était comme si l'univers s'alignait, me guidant vers un chemin d'illumination et de rédemption. Dans cette prière puissante, j'ai accepté Jésus dans mon cœur.

À chaque mot prononcé, mon cœur s'ouvrait plus grand, embrassant l'amour et la grâce que Jésus offrait. J'ai ressenti un profond sentiment de libération, comme si le poids du monde avait été enlevé de mes épaules.

À partir de ce jour, ma foi a été renforcée, cette rencontre avec Dieu a transformé ma vie pour toujours. Ce fut un moment d'intervention divine, une rencontre avec le Tout-Puissant qui m'a fourni tout ce dont j'avais besoin pour avancer et me lancer dans un voyage de pardon et de transformation de soi.

Lors de cette rencontre, j'ai réalisé que le pardon n'était pas seulement un choix, mais aussi un puissant outil de guérison et de croissance. Dieu m'a montré que retenir la colère et le ressentiment était comme porter un fardeau qui m'alourdissait, m'enfermant dans un cycle de douleur. Il a doucement murmuré à mon cœur, me pressant de libérer les chaînes de l'amertume et d'accorder le pardon à ceux qui m'avaient fait du tort. À ce moment-là, j'ai compris que le pardon ne consiste pas à cautionner les actions des autres ou à oublier la douleur qu'ils ont causée. Il s'agit de nous libérer des chaînes du passé, de libérer l'énergie négative qui nous lie et de laisser la place à l'amour et à la joie pour remplir à nouveau notre cœur. La présence de Dieu m'a rempli d'un sentiment renouvelé de détermination et de force. Il m'a rappelé que je ne suis pas défini par mes erreurs passées ou les actions blessantes des autres. Il m'a assuré que j'avais le pouvoir de changer ma vie, de créer un avenir rempli d'amour, de compassion et de pardon.

Cette rencontre avec Dieu continue d'être un tournant important dans ma vie. C'est un rappel constant de son amour et de sa présence inébranlables. Chaque fois que je suis confronté à des difficultés, je puise ma force à ce moment-là, sachant que je ne suis pas seul. Je suis éternellement reconnaissant pour la prière du prédicateur et contact divin que j'ai ressenti, car cela a façonné ma foi et m'a rapproché de Dieu.
Alors que j'écris et que je me souviens de ce moment, je suis en larmes.

Chapitre 8

Naviguer dans les tempêtes avec résilience

Ma vie a pris un tournant complet pour le mieux, c'est vraiment incroyable de voir à quel point ma vision de la vie a changé et je voyais maintenant les choses sous un tout nouveau jour.

J'avais l'habitude de traverser la vie en me sentant perdue et déconnectée. Je cherchais constamment un sens et un but, mais au moment où j'ai ouvert mon cœur à Dieu, tout a changé.

J'ai ressenti un immense sentiment de paix et de confort. C'était comme si un poids avait été enlevé de mes épaules et je ne me sentais plus seul au monde. Je savais que Dieu était avec moi, me guidant à chaque étape de mon voyage.

Avec cette foi retrouvée, j'ai commencé à voir la beauté dans les choses les plus simples. J'ai commencé à apprécier les petits moments que je négligeais. C'était comme vivre la vie pour la première fois, avec un cœur plein de gratitude.

Ma relation avec ma belle-mère s'améliore considérablement, Je suis éternellement reconnaissant envers ma belle-mère de m'avoir conduit à Dieu et de m'avoir montré le chemin vers l'illumination spirituelle.

De plus, mes relations avec les autres se sont également épanouies. J'ai commencé à voir les gens non seulement comme des individus, mais comme des enfants de Dieu, méritant amour, gentillesse et pardon.

Dans le domaine du pardon, les miracles se produisent. Ils façonnent notre cœur, guérissent nos blessures et libèrent notre esprit.

J'ai pardonné à ma mère la douleur qu'elle m'avait causée, l'absence qui a laissé une marque indélébile dans mon âme. J'ai compris qu'elle aussi avait ses combats, ses propres luttes à affronter. Grâce au pardon, j'ai libéré le fardeau de la colère et du ressentiment et, en retour, j'ai retrouvé un nouveau sentiment de paix.

J'ai pardonné à ma tante et au reste de ma famille les malentendus et les conflits qui avaient hanté nos relations. J'ai vu que garder rancune ne faisait que perpétuer le cycle de la douleur. J'ai donc choisi de me libérer de ce cycle et d'accepter le pardon.

J'ai pardonné à tous ceux qui m'avaient blessé de quelque manière que ce soit.

Et surtout, je me suis pardonné. J'avais porté la culpabilité et l'auto-accusation pendant trop longtemps. J'ai réalisé que je n'étais qu'humain, sujet aux erreurs et aux imperfections. En me pardonnant, je me libère des chaînes du doute et de l'auto-punition.

J'ai réalisé que garder du ressentiment ne ferait que me garder piégé dans le passé. Alors, avec un cœur courageux et ouvert, j'ai choisi le pardon.

a vie a soudainement repris un sens. Les pièces du puzzle s'emboîtent
t j'ai réalisé que chaque expérience, chaque défi m'avait conduit à ce
moment de clarté.

J'ai terminé mon année scolaire au "Colegio Bíblico Cristiano" et je
e suis retrouvé entouré d'amis chrétiens remarquables, je suis devenu
le meilleur ami de Claudia et Marielvis.

Grâce à leur foi inébranlable, ils m'ont appris la véritable essence de
l'amour, de la gentillesse et de la compassion. Leur soutien et leur
éritable amitié m'ont fait réaliser que je n'étais jamais seul dans mon
voyage.

Le chemin de la foi n'est pas sans obstacles, mais j'ai appris à les
monter avec grâce et résilience. Nous avons fait face à des épreuves et
s tribulations, mais nous sommes restés fermes dans notre conviction
ue notre objectif était plus grand que toutes les adversités que nous
avons rencontrées.

n tant que nouveau croyant, j'ai compris que chacun avait son propre
ut dans la vie. Tout comme chaque flocon de neige est distinct, nos
pels individuels et nos contributions au monde le sont également. Il
st essentiel de se rappeler que Dieu a créé chacun de nous avec des
ents, des dons et des passions spécifiques, et qu'il désire que nous les
utilisions pour le servir ainsi que les autres.

écouvrir votre objectif de servir Dieu peut prendre du temps et de la
patience. C'est un voyage de découverte de soi, de recherche de la
ction de Dieu et de croissance dans la foi. Votre objectif peut être de
vir par des actes de gentillesse, d'évangélisation, d'enseignement, de
usique ou d'innombrables autres moyens. Embrassez votre unicité et
yez confiance que Dieu vous guidera vers le chemin qu'il a préparé
pour vous.

Un jour, alors que je rentrais de l'école, un sentiment d'anticipatic a rempli mon cœur. Je ne savais pas que cette journée marquerai un tournant dans ma vie, un moment qui me mettrait sur la voie de mes rêves.

Vous souvenez-vous du prédicateur qui a prophétisé au cours de ma vie que je retournais aux États-Unis ?

J'ai reçu la nouvelle que mon visa était prêt. Mon cœur bondit d joie, car je savais que c'était l'accomplissement de la prophétie d prédicateur. C'était comme si l'univers avait conspiré pour aligne toutes les pièces de ma vie, ouvrant ainsi la voie à cette incroyab opportunité.

À ce moment-là, j'ai réalisé que ce n'était pas seulement une simp coïncidence ; c'était une intervention divine, une manifestation (ma croyance inébranlable et de la puissance de Dieu.

Je croyais que Dieu avait un but pour chaque expérience que j'a vécue au cours de mon voyage. Alors que je réfléchis aux épreuv et aux triomphes qui ont fait de moi la personne que je suis aujourd'hui, je suis rempli d'un profond sentiment de gratitude de respect pour la sagesse divine qui m'a guidé à travers tout cel

Dans les moments d'obscurité et de désespoir, lorsque la vie semblait insupportable, c'est le dessein de Dieu qui m'a donné l force de persévérer. Chaque obstacle auquel j'ai été confronté éta un tremplin vers un objectif plus grand, m'enseignant de précieuses leçons et façonnant mon caractère.

Le but de Dieu n'était pas de me protéger de la douleur ou des difficultés, mais plutôt d'affiner mon esprit et de me donner les moyens de devenir la meilleure version de moi-même. Chaque larme versée, chaque moment de doute était une étape nécessaire vers ma croissance et ma transformation. Les défis auxquels j'ai été confronté n'étaient pas destinés à me briser, mais à me transformer en un vaisseau d'amour, de compassion et de force.

Retourner en République Dominicaine était comme un pèlerinage pour moi. C'était plus qu'une simple visite dans mon pays natal ; c'était un réveil spirituel, un rendez-vous divin avec le Tout-Puissant.

Aujourd'hui, j'exprime ma profonde gratitude pour l'expérience transformatrice que j'ai vécue en République dominicaine. Ce fut un voyage qui m'a non seulement mis face à face avec moi-même, mais m'a également permis de rencontrer Dieu d'une manière profonde et qui a changé ma vie, d'avoir été témoin de la beauté et de la brisure, et d'avoir rencontré Dieu au milieu de tout ça.

Je suis très reconnaissant pour les leçons apprises, les perspectives acquises et la foi qui a été renforcée.

La République dominicaine est devenue une salle de classe pour moi, m'enseignant des leçons inestimables sur la gratitude, la compassion et le véritable sens de la foi.

J'ai réalisé que mes propres luttes et inquiétudes n'étaient rien en comparaison de celles des autres, et c'est grâce à cette prise de conscience que je me suis vraiment abandonnée à Dieu.

Après quatre ans en République Dominicaine, je suis finalement retourné aux États-Unis, je ne peux même pas commencer à exprimer à quel point je me sentais reconnaissant.

Les États-Unis occupent une place particulière dans mon cœur et j'étais plus que ravi de retrouver mes proches et de me lancer dans u nouveau chapitre de ma vie.

Je n'ai pas pu contenir mon enthousiasme alors que je montais à bord de l'avion pour les États-Unis. L'impatience de retourner dans mon pays d'origine m'a rempli d'un immense sentiment de joie et d bonheur. Alors que l'avion atterrissait sur un sol familier, je n'ai pas pu m'empêcher de ressentir une vague d'émotions me parcourir.

En descendant de l'avion, j'ai pris une profonde inspiration, inhalar le parfum familier de mon pays natal. C'était comme une étreinte chaleureuse, m'accueillant à bras ouverts. Les images et les sons de l'aéroport animé m'ont rempli d'un sentiment d'appartenance, comme si j'étais enfin revenu à ma véritable place.

En parcourant les rues, je ne pouvais m'empêcher d'apprécier les petites choses qui m'avaient manqué. La commodité de tout, l'efficacité et la facilité de communication étaient toutes des chose que je tenais pour acquises auparavant. Maintenant, ils me semblaie être un luxe que je pouvais pleinement apprécier.

Renouer avec mes proches a été une expérience vraiment réconfortante. Les câlins, les rires et les histoires partagées m'ont donné l'impression de n'avoir jamais été absent. Le lien que nous avions construit au fil des années est resté indestructible et être de retour avec eux a apporté un sentiment de plénitude dans ma vie.

Mais l'un des plus grands ajustements que j'ai dû faire a été d'aller au lycée. Après avoir passé plusieurs années dans un autre pays, c'était étrange d'être entouré d'un nouveau groupe de camarades de classe et d'enseignants. Cependant, je me suis vite installé et j'ai trouvé ma place dans la communauté scolaire. Au lycée Abraham Lincoln, les enseignants m'ont soutenu et m'ont aidé à surmonter les défis liés à la transition vers le système éducatif américain.

Le lycée était un tourbillon de nouvelles expériences et opportunités. J'ai rejoint des clubs, j'ai revu certains de mes vieux amis de l'école primaire et je me suis fait des amis incroyables en cours de route. Ma meilleure amie était Navi, elle est devenue comme ma sœur. Nous parlons à peine, mais elle aura toujours une place spéciale dans mon cœur.

Mais ce fut une transition intéressante, surtout pendant mes années de lycée. C'était comme entrer dans un tout nouveau monde, un monde rempli de fêtes, d'événements sociaux et d'une culture adolescente dynamique que je n'avais pas pleinement expérimentée auparavant. J'ai été soudainement exposé à un environnement au rythme rapide où socialiser et sortir semblait être la norme. C'était comme si tout le monde planifiait constamment des fêtes, des réunions et d'autres événements. Au début, j'ai été surpris par intensité et la fréquence de ces activités sociales. Cependant, au fil du temps, je me suis retrouvé à adopter ce nouvel aspect de la culture du lycée américain. J'ai commencé à assister à des fêtes et à m'impliquer sur la scène sociale. J'ai aussi commencé à sortir avec quelqu'un.

Mon premier petit ami était Kenny, dont je suis profondément tombé amoureux au lycée, mais il n'avait pas une bonne influence. J'ai appris cela à mes dépens.

Des années plus tard, alors que je travaillais comme femme de ménage dans une salle de sport appelée La Fitness, j'ai rencontré mon premier mari et ma vie a changé de la plus belle des manières. Mon mari et moi avons eu la chance de vivre une vie merveilleuse ensemble, avec des hauts et des bas. Il avait un travail fantastique qui non seulement répondait à nos besoins mais nous permettait également de profiter de nombreux plaisirs de la vie. Il n'était pas seulement un fournisseur, mais aussi mon plus grand partisan et mon plus grand croyant en mes capacités. Sa confiance inébranlable en moi m'a donné la confiance nécessaire pour opérer un changement significatif dans ma carrière. J'm'étais senti insatisfait de mon travail de femme de ménage et sans direction. Cependant, grâce à ses encouragements et à sa motivation, j'ai fait un acte de foi et j'ai commencé à travailler comme caissier de banque et depuis, j'ai travaillé dans des banques. Notre voyage ensemble nous a également conduit au moment heureux où nous avons accueilli notre fils, Liam, dans le monde, qui est la lumière de nos vies.

Malheureusement, il fut expulsé vers le Mexique.

Lorsqu'il a été soudainement expulsé, j'ai eu l'impression qu'il avait perdu une partie de moi-même. Mais au milieu des larmes et de la douleur, j'ai découvert en moi une force dont j'ignorais l'existence. J'réalisé que m'apitoyer sur mon sort ne me mènerait nulle part. Il devait prendre une décision. Que ce soit pour laisser cette situation me consumer ou pour m'en remettre. Et donc, j'ai pris la décision consciente de devenir plus fort que jamais. À travers cette période difficile, j'ai découvert ma propre résilience et ma force intérieure. J'réalisé que je pouvais surmonter n'importe quel obstacle qui se présentait à moi.

Puisque mon mari avait ses parents et une maison, j'ai décidé d'emmener mon fils au Mexique pour vivre avec son père pendant que je m'adaptais à cette situation.

Lorsque mon fils et moi sommes arrivés au Mexique, c'était un monde complètement nouveau pour nous. Liam, étant un enfant résilient et adaptable, s'est rapidement fait des amis et a commencé à s'immerger dans la culture mexicaine.

Vivre au Mexique a donné à Liam une opportunité unique d'apprendre une nouvelle langue et de grandir avec amour. Il a accepté le défi avec enthousiasme et a rapidement appris à parler couramment l'espagnol. C'était incroyable d'assister à sa croissance et de le voir communiquer sans effort. Il rentrait souvent chez lui avec enthousiasme pour partager des histoires sur ses aventures, ses nouveaux amis et les fascinantes traditions mexicaines qu'il aimait. En tant que mère et de toutes les expériences que j'ai vécues, c'était à la fois touchant et doux-amer de voir Liam s'épanouir au Mexique. Je ne voulais pas qu'il traverse les difficultés et les défis auxquels j'ai été confronté en grandissant. Je voulais qu'il ait un chemin de vie différent, peut-être plus facile. Mais cela a été réconfortant de constater l'immense amour et le soutien qu'il a reçu de la famille de son père. Depuis notre arrivée, ils l'ont accueilli à bras ouverts, le traitant avec beaucoup d'amour. Ils sont devenus son système de soutien, ses pom-pom girls et ses plus grands fans. Ils lui ont donné le sentiment d'appartenir et d'être spécial. Le voir créer des liens avec ses grands-parents, ses tantes, ses oncles et ses cousins, et même avec ses voisins, a été une très belle expérience.

Ils l'ont comblé d'amour, de soins et de conseils et ont également partagé avec lui ses traditions, ses histoires et ses valeurs, enrichissant son identité culturelle d'une manière qu'il n'aurait jamais pu imaginer. Ils sont devenus une partie intégrante de sa vie, le transformant en la personne incroyable qu'il est aujourd'hui et je ne pourrais être plus reconnaissant..

Après l'expulsion de mon mari et la décision difficile d'emmener mon fils Liam au Mexique, je savais que notre voyage était loin d'être terminé. Déterminé à nous offrir un avenir meilleur, je suis rentré aux États-Unis avec le cœur plein d'espoir et la détermination d'apporter un changement positif. En même temps, à mon retour, j'ai été confronté à de nombreux défis qui semblaient insurmontables. Cependant, j'ai refusé de laisser ces obstacles me définir ou m'arrêter. Je savais que je devais prendre le contrôle de ma vie et créer un meilleur chemin pour Liam et moi. J'ai commencé à occuper non pas un, mais deux emplois. Je travaillais le travail de mes rêves de jour à la Credit Union et de nuit en tant que spécialiste du service à la clientèle, travaillant sans relâche et me poussant à la limite pour garantir que nous puissions répondre à nos besoins fondamentaux et alléger la dette que nous devions. Ce n'était pas facile. Les journées étaient longues et les nuits encore plus longues, mais je n'ai jamais perdu de vue mon objectif ultime : offrir un foyer stable et sûr à mon fils. Grâce à un travail acharné, de la persévérance une détermination sans faille, j'ai réussi à rembourser toute la dette qui nous pesait. Ce fut un voyage long et ardu, mais chaque sacrifice en valait la peine pour avoir l'opportunité de créer un avenir meilleur pour Liam et moi. J'ai ri aujourd'hui, mais je me souviens qu'en grandissant j'ai été confronté à un certain nombre de défis qui m'ont donné l'impression que personne ne croyait en moi, pas même ma propre famille. C'était décourageant d'entendre constamment mes tantes (pas toutes) chuchoter à mon sujet, douter de mon potentiel et dire que je ne serais jamais rien ou que «je n'allais pas être rien», c'est à quel point elles s'exprimaient laide. moi. Je me souviens toujours de ce jour où les ai surpris en train de parler en mal de moi et ça me fait rire. Me voici aujourd'hui, debout et fier, tout cela grâce à la gloire de Dieu.

En ce jour magique du 25 mai 2018, j'ai franchi une étape dont je rêvais auparavant. J'ai acheté ma propre maison. Le sentiment d'accomplissement et de fierté qui m'a envahi était indescriptible. C'était un symbole de tout le travail acharné, de la résilience et des sacrifices qu'il avait consentis.

ce moment-là, j'ai réalisé qu'aucun défi n'est trop grand quand on a la force de persévérer. Le chemin vers le succès n'est pas toujours facile, mais c'est dans ces moments d'adversité que nous découvrons notre véritable force et notre résilience. Je suis la preuve vivante qu'avec une détermination et une foi inébranlable, nous pouvons surmonter n'importe quel obstacle et réaliser nos rêves.

Aujourd'hui, alors que je suis assis dans le confort de ma propre maison pour écrire ce livre, je me souviens du voyage qui nous a amenés ici.

Je suis reconnaissant pour les leçons apprises, la force acquise et la confiance inébranlable en moi qui nous ont permis de traverser les moments les plus difficiles.

tous ceux qui sont confrontés à des difficultés, je vous implore de jamais perdre espoir. Croyez en Dieu et en vous-même, travaillez ur et n'abandonnez jamais. Vos rêves sont à portée de main, même 'ils semblent lointains pour le moment. N'oubliez pas que chaque revers est une opportunité de retour.

La vie peut nous lancer des bouleversements inattendus, mais c'est otre réponse à ces défis qui nous définit. Embrassez le voyage, car est à travers les luttes que nous trouvons notre véritable potentiel. oyez résilient, courageux et continuez toujours à avancer, sachant ue vous avez le pouvoir de créer un avenir meilleur pour vous et vos proches.

Croyez au pouvoir de vos rêves et n'oubliez jamais que vous êtes apable d'atteindre la grandeur. Votre histoire est encore en cours l'écriture et les meilleurs chapitres sont encore à venir, mais vous devez laisser Dieu écrire votre histoire.

Dans la vie, il y a aussi des tournants et des défis inattendus qui peuvent souvent nous conduire sur des chemins que nous n'aurions jamais imaginés.

L'un de ces voyages a commencé lorsque le père de Liam et moi avons malheureusement décidé de nous séparer, ce qui m'a amené à ramener mon fils du Mexique. Même si les circonstances ont changé, notre lien familial reste incassable.

Il est essentiel de se rappeler que l'amour ne connaît pas de frontières. Bien que notre dynamique familiale ait changé, l'amour qui circule entre Liam, son père et moi est inébranlable. Nous avons choisi de dépasser nos différences et de nous concentrer sur ce qui compte vraiment : le bonheur et le bien-être de notre remarquable fils.

Tout au long de ce voyage, j'ai découvert que la famille s'étend bien au-delà des liens du sang. La famille élargie de Liam m'a accueilli à bras ouverts et ses sœurs sont devenues une source de joie et de soutien dans nos vies. Leur présence a été tout simplement une bénédiction, me rappelant que l'amour et l'acceptation peuvent être trouvés dans les endroits les plus inattendus.

La vie m'a appris que la famille ne se définit pas par l'état civil ou la situation géographique. Il se définit par l'amour, l'attention et soutien que nous nous accordons les uns aux autres.

Au milieu de ce chapitre difficile, j'ai une fois de plus appris le pouvoir du pardon et l'importance de chérir chaque instant.

La vie est trop courte pour entretenir du ressentiment ou s'attarder sur ce qui aurait pu être. Au lieu de cela, j'ai choisi de me concentrer sur l'incroyable voyage qui attend Liam, son père et moi-même.

Au lieu de cela, je suis rempli de gratitude pour les leçons apprises et l'amour qui continue de nous unir.

Quand je réfléchis à ma décision de me marier à 19 ans, je suis emplie de gratitude pour le courage que j'ai eu à ce moment-là. Il faut un certain niveau de maturité et d'audace pour prendre un tel engagement à un jeune âge. Je suis reconnaissant pour l'amour et le soutien que j'ai reçu de mon partenaire pendant cette période de ma vie. Ces années m'ont beaucoup appris sur la communication, le compromis et le véritable sens du partenariat.

Devenir parent à un jeune âge a été une bénédiction inattendue. Même si cela a certainement présenté son lot de défis, je suis reconnaissant pour les leçons qu'il m'a apprises sur la responsabilité, l'altruisme et l'amour inconditionnel. La joie et l'épanouissement que j'ai vécus en tant que parent dépassent les mots. Cela m'a permis de grandir d'une manière que je n'aurais jamais cru possible et a donné à ma vie un but que je chéris.

Même si mon mariage s'est finalement terminé par un divorce, je ressens toujours un sentiment de gratitude pour cette expérience. Ce fut un processus douloureux et difficile, mais il m'a appris l'importance de l'introspection, de la croissance personnelle et de la capacité de lâcher prise lorsque cela est nécessaire. Le divorce, aussi déchirant qu'il puisse être, a ouvert les portes à de nouvelles possibilités et m'a permis de donner la priorité à mon bonheur et à mon bien-être.

Après mon divorce, je me suis lancé dans un voyage pour retrouver l'amour. Cela n'a pas été un chemin facile, mais j'ai eu l'occasion de sor avec des personnes incroyables tout au long de mon parcours. Parmi toutes les personnes que j'ai rencontrées, il y a deux personnes qui on laissé une impression durable dans mon cœur, l'Italien dont je me suis senti amoureux, et Kevin, dont le décès prématuré dans un accident d voiture a bouleversé mon monde.

Depuis que je suis petite, j'ai toujours rêvé de sortir avec un Italien. Il avait quelque chose dans leur culture, leur charme et leur passion qui n captivé dès mon plus jeune âge. L'Italien m'a appris l'importance d'embrasser l'amour avec toutes ses complexités et m'a rappelé le pouve de la vulnérabilité. Je me sentais bien avec lui à tous points de vue.
Cependant, la vie a tendance à nous lancer des bouleversements inattendus. La tragédie a frappé lorsque j'ai rencontré Kevin, nous construisions une belle connexion, mais le destin avait des plans différents et la vie de Kevin a été écourtée dans un tragique accident de voiture. Le perdre a été un coup dévastateur, me laissant avec un vide e semblait impossible à combler.
Le plus triste, c'est que j'étais avec lui cette nuit-là et que je suis mêm allé à l'hôpital en espérant qu'il irait bien. La nouvelle du décès de Kev m'a profondément secoué. Les jours se sont transformés en semaines, les semaines en mois, mais la douleur est restée, un rappel constant d vide laissé par son absence. Au milieu de mon propre chagrin, j'ai ét aveuglé par la réaction inattendue de la famille de Kevin. Ils ont commencé à soupçonner que j'avais contribué d'une manière ou d'un autre à sa mort prématurée, mais je n'avais rien à voir avec ce qui lui é arrivé cette nuit-là. Je leur pardonne et qu'il repose en paix.

Maintenant, alors que je regarde vers l'avenir, je garde l'espoir que l'amour retrouvera son chemin dans ma vie. J'ai toujours eu cette priè sincère, un appel à Dieu, pour me permettre de faire l'expérience de véritable amour avant de quitter ce monde.

...elques mois plus tard, la vie a pris une tournure inattendue. Je me suis ...alement retrouvé impliqué dans un accident de voiture, confronté à la possibilité très réelle de perdre la vie.

...u lendemain de l'accident, j'ai ressenti un mélange de gratitude, de ...ur et d'incrédulité. Reconnaissance parce que j'étais encore en vie, je ...spirais et je pouvais voir un autre jour et surtout voir mon fils. Je n'ai ...pas pu m'empêcher de compter mes bénédictions et de ressentir un ...mense sentiment d'appréciation pour la seconde chance qui m'avait été donnée.

...ne peux pas non plus exprimer assez à quel point je suis reconnaissant ...vers la personne qui m'a trouvé dans l'accident de voiture. Ils m'ont ...raiment sauvé la vie. Je ne peux pas imaginer ce qui serait arrivé s'ils ...'étaient pas venus à mon secours. Leur rapidité de réflexion et leur altruisme sont quelque chose que je n'oublierai jamais.

...travers l'obscurité de cet accident, j'ai découvert la vraie valeur de la ...ie. Chaque respiration, chaque battement de cœur et chaque instant ...t devenus précieux au-delà de toute mesure. J'ai réalisé que la vie est ...1 cadeau, une opportunité éphémère qui ne devrait jamais être prise ...pour acquise. J'ai commencé à chérir chaque jour, ne voulant plus ...rdre une seule seconde sur des sujets négatifs ou insignifiants. Ma foi ...redevenue mon phare. J'ai trouvé du réconfort en sachant qu'il existe ...: puissance supérieure, une force qui veille sur nous et nous donne de ...orce lorsque nous en avons le plus besoin. Je me suis tourné vers ma ...comme une source de réconfort, trouvant la paix au milieu du chaos. ...a m'a appris à avoir confiance dans le voyage, même lorsqu'il semble ...icertain, et à avoir foi dans le pouvoir de la résilience. Mais surtout, ...: ma famille qui m'a vraiment soutenu pendant cette période difficile. ...a cousine Andia, mon bon ami Mike et ma tante sont devenus mes piliers de soutien, m'offrant un amour et des encouragements inébranlables.

En réfléchissant, je constate que parfois nous oublions d'apprécier le cadeau incroyable qu'est réellement la vie. Nous sommes tellement absorbés par nos propres inquiétudes, stress et désirs que nous ne parvenons pas à reconnaître la beauté et l'abondance qui nous entourent. Il est facile de prendre les choses pour acquises. Notre santé nos proches, nos opportunités, et nous perdons de vue à quel point no avons de la chance d'être ici. Si j'avais perdu la vie dans cet accident d voiture, je n'aurais jamais revu mon fils.

Mais nous nous retrouvons souvent à courir après la prochaine grand chose, croyant que le véritable bonheur réside dans la réalisation de n objectifs ou dans l'acquisition de biens matériels. Nous sommes absorb par un besoin constant de plus – plus d'argent, plus de succès, plus d reconnaissance. Nous croyons qu'une fois que nous aurons atteint ce choses, nous serons enfin satisfaits. Mais la vérité est que la vie ne consiste pas à accumuler des choses ou à atteindre certaines étapes ; i s'agit de chérir chaque instant et d'être reconnaissant pour ce que nor avons déjà.

La gratitude est une force puissante qui peut transformer notre perspective et apporter une immense joie dans nos vies. Lorsque nou pratiquons la gratitude, nous déplaçons notre attention de ce qui manque vers ce qui est présent. Nous commençons à remarquer les petites choses – un sourire chaleureux, un magnifique coucher de sol une bonne tasse de café – et nous réalisons que ces plaisirs simples val vraiment la peine d'être vécus.

Être reconnaissant ne signifie pas que nous ignorons nos problèmes que nous prétendons que tout est parfait. Cela signifie simplement q nous choisissons d'apprécier le bien, même au milieu des défis. Cel signifie reconnaître que la vie est un cadeau précieux, rempli de haut de bas, et trouver le côté positif dans chaque situation.

insi, pendant que vous traversez les hauts et les bas de votre propre voyage, rappelez-vous la valeur de la vie. Embrassez chaque jour 'ec gratitude, tenez fermement à votre foi et chérissez l'amour et le outien de votre famille. La vie est un beau voyage rempli de hauts et de bas, de rebondissements et de détours inattendus. Cela peut arfois sembler accablant, surtout face aux défis et aux incertitudes. Iais dans ces moments-là, il est essentiel de garder foi et confiance en quelque chose de plus grand que nous-mêmes.

aites confiance au plan de Dieu. N'oubliez pas que vous n'êtes pas seul dans ce voyage. Il y a un plan divin à l'œuvre, et tout arrive our une raison. Même lorsque les choses semblent difficiles, ayez foi que Dieu a un but pour votre vie. Ayez confiance qu'Il vous idera à travers les hauts et les bas et vous mènera là où vous devez être.

a vie est pleine d'incertitudes et il est naturel de se sentir anxieux u dépassé par celles-ci. Cependant, au lieu de résister à l'inconnu, ceptez-le avec foi. Ayez confiance que Dieu est aux commandes t qu'il vous fournira la force et la sagesse nécessaires pour relever les défis qui se présentent à vous.

oubliez pas que la foi ne consiste pas à avoir toutes les réponses ou éviter les difficultés. Il s'agit de croire en quelque chose de plus and que soi et de faire confiance au plan de Dieu pour votre vie. abrassez le voyage, sachant que votre foi vous guidera à travers les hauts et les bas.

Ayez foi et faites confiance au beau chemin qui vous attend.

Partie trois

fleurir avec amour et grâce

Aujourd'hui en tant que spécialiste bancaire et auteur

Mon fils de 9 ans et moi

Quand j'ai commencé à travailler comme spécialiste bancaire

Mon premier emploi bancaire en tant que caissier

Chapitre 9

Entrer dans le rayonnement

J'ai découvert une lumière rayonnante qui brille plus fort que jamais. C'est dans ce nouveau rayonnement que j'ai embrassé la beauté de vivre un nouveau moi. À chaque pas que je fais, je suis rempli d'un sentiment inébranlable d'inspiration et de détermination, me propulsant vers une vie aux possibilités infinies. Abandonner tout ce qui m'est arrivé dans le passé a été l'une des décisions les plus stimulantes que j'ai jamais prises. C'est incroyable à quel point un simple changement de perspective peut complètement transformer votre vie et vous libérer des chaînes du passé. Lâcher prise sur les fardeaux, les regrets et les souvenirs douloureux m'a permis d'embrasser le moment présent et de me créer un avenir meilleur.

Fini le temps des doutes et des croyances limitantes.
J'ai jeté les couches de négativité qui m'alourdissaient autrefois et, à leur place, j'ai cultivé un jardin d'amour-propre et d'acceptation de soi.
Chaque matin, quand le soleil se lève, je me souviens que
Moi aussi, j'ai le pouvoir de surmonter tous les défis qui se présentent à moi.

Vivre un nouveau soi signifie accepter l'authenticité à bras ouverts.
J'ai appris à célébrer mon caractère unique et à accepter mes défauts, car c'est ce qui me rend merveilleusement humain.
Je ne recherche plus la validation des autres, parce que j'ai réalisé que la seule validation dont j'ai besoin est celle de Dieu et la mienne.

Je suis suffisant, tel que je suis.

J'ai cultivé un lien profond avec mes passions et mes rêves. J'ai découvert des talents cachés et poursuivi des intérêts qui ont enflammé mon âme. À chaque poursuite, mon esprit s'envole et je m souviens du potentiel illimité qui réside en moi. Je ne suis plus confir par les attentes sociétales. Au lieu de cela, je suis guidé par ma propr intuition et ma sagesse intérieure. Vivre un nouveau moi, c'est auss chérir les relations qui m'élèvent et me soutiennent. Je me suis entou d'âmes sœurs qui m'inspirent à être la meilleure version de moi-même. Ensemble, nous créons une tapisserie d'amour, d'encouragement et de croissance. Nous nous élevons mutuellemen célébrons les victoires et apportons du réconfort dans les moments d lutte.

Il arrive un moment où nous devons trouver le courage de laisser l passé derrière nous et d'embrasser l'avenir radieux qui nous attend. C'est dans ce moment de transformation que nous trouvons la véritable essence de notre être et découvrons le potentiel illimité qu réside en nous.

Laisser le passé derrière soi n'est pas toujours une tâche facile. Cela nous oblige à abandonner la familiarité confortable à laquelle nous nous sommes habitués et à nous aventurer dans l'inconnu. Mais c'e dans ce territoire inconnu que la magie opère – où s'épanouissent l croissance, la libération et la découverte de soi.

Lorsque nous nous libérons des chaînes du passé, nous nous libéror des fardeaux qui nous retenaient. Nous nous débarrassons du poids c regrets, des déceptions et des opportunités manquées et faisons plac l'éclat du moment présent. C'est dans cette liberté retrouvée que no pouvons véritablement entrer dans notre rayonnement.

Alors que nous nous engageons dans ce voyage visant à laisser le passé derrière nous, il est important de nous rappeler que nous ne sommes pas définis par nos expériences passées. Nous ne sommes pas limités par nos échecs ni définis par nos erreurs. Au lieu de cela, nous sommes façonnés par les leçons que nous avons apprises et par la force que nous avons acquise en cours de route.

Chaque pas que nous faisons pour laisser le passé derrière nous nous rapproche de notre moi authentique. Cela nous permet d'embrasser nos véritables passions, rêves et aspirations. Cela nous permet de réécrire notre histoire et de créer un avenir rempli d'amour, de joie et d'épanouissement.

Dans ce processus, il est crucial de s'entourer de positivité et d'inspiration. Nous devons rechercher des mentors, des guides et des compagnons qui nous encouragent et nous soutiennent tout au long de notre voyage. Leurs encouragements et leur sagesse nous fourniront la force et la motivation dont nous avons besoin pour aller de l'avant, même face aux défis.

Laisser le passé derrière soi n'est pas un événement ponctuel, mais plutôt une pratique continue. Cela nous oblige à réévaluer constamment nos croyances, nos comportements et nos modèles, et à faire des choix qui correspondent à notre moi le plus élevé. C'est grâce à cet engagement continu en faveur de la croissance que nous continuerons à rayonner notre véritable essence dans le monde.

N'oubliez pas que le pouvoir de créer un avenir radieux réside en vous. Embrassez l'inconnu, abandonnez ce qui ne vous sert plus et entrez dans l'éclat de votre moi authentique.

Chapitre 10

Cultiver la gratitude et trouver la joie

Dans le beau voyage de la vie, il y a des moments qui nous coupen souffle, des moments qui remplissent nos cœurs d'un sentiment d'émerveillement et de gratitude. Ces moments, bien qu'apparemment éphémères, ont le pouvoir de transformer toute notre perspective et de nous rapprocher du vrai bonheur. C'est da ces moments que nous réalisons l'importance de cultiver la gratitu et de trouver la joie, car ce sont les clés pour débloquer une vie remplie d'abondance et de contentement.

Comme je l'ai déjà dit, la gratitude est un outil puissant qui nou permet de reconnaître et d'apprécier les bénédictions qui nous entourent chaque jour. C'est un état d'esprit qui nous détourne de qui nous manque vers ce que nous avons, de ce qui n'a pas fonctio vers ce qui a bien fonctionné. Lorsque nous cultivons la gratitud nous nous ouvrons à un monde de possibilités et devenons plus conscients de la beauté qui existe dans les moindres détails de not vie.

Trouver la joie est un art qui nous oblige à regarder au-delà de surface, à creuser au plus profond de nous-mêmes et à accepter moment présent. C'est un choix de voir les côtés positifs de chaq situation, aussi difficile soit-elle. La joie n'est pas une destination, un état d'être que l'on retrouve dans le plaisir le plus simple : un c chaleureux, un rire sincère, un moment tranquille de réflexion.

Mais comment cultiver la gratitude et trouver la joie au milieu du chaos et de l'incertitude de la vie ?

Cela commence par pratiquer la pleine conscience, en étant pleinement présent et conscient de nos pensées, de nos émotions et de notre environnement. Lorsque nous sommes attentifs, nous pouvons mieux apprécier la beauté du moment présent et abandonner les inquiétudes concernant l'avenir ou les regrets du passé.

Une autre façon de cultiver la gratitude consiste à tenir un journal de gratitude. Chaque jour, prenez un moment pour réfléchir à trois choses pour lesquelles vous êtes reconnaissant. Cela peut être aussi simple que le soleil qui brille à travers votre fenêtre, le chant des oiseaux ou la tasse de café chaude dans vos mains. En reconnaissant consciemment ces bénédictions, nous entraînons notre esprit à se concentrer sur les aspects positifs de notre vie.

D'ailleurs, c'est comme ça que j'ai commencé à écrire, alors que je me plongeais dans l'art du journaling, quelque chose de magique a commencé à se produire. Des mots qui n'étaient autrefois que des fragments épars ont commencé à prendre forme, formant des phrases pleines de sens. Les idées ont fleuri, s'entremêlant avec des expériences sincères et se transformant en récits attendant d'être partagés. C'était comme si mon journal devenait un vivier de créativité, un terrain fertile où naissaient des histoires.

À chaque entrée, j'ai découvert la puissance de ma voix et la force de mes mots. J'ai réalisé que mes pensées avaient de la valeur et qu'elles méritaient d'être entendues. Tenir un journal est devenu un catalyseur découverte de soi, me permettant d'explorer les profondeurs de mon imagination et de découvrir des trésors cachés dans mon propre esprit.

En enregistrant ma vie quotidienne, j'ai découvert une multitude d'intrigues qui demandaient à être développées. Mon journal est devenu une feuille de route, me guidant sur le chemin de l'écriture de livres. Cela m'a appris la discipline, car je me suis engagé à écrire chaque jour, à perfectionner mes compétences et à perfectionner mon métier. Cela nous rappelé qu'écrire n'est pas seulement un passe-temps mais un engagement vie, un mode de vie.

La tenue d'un journal m'a permis de parcourir les sommets et les vallées d mon parcours créatif. Il est devenu mon refuge lors des moments de dout et mon confident lorsque l'inspiration semblait faiblir. Cela m'a apporté u réconfort en période d'incertitude, me rappelant que même la plus petite des idées peut allumer une flamme de créativité.

Aujourd'hui, alors que je tiens entre mes mains mes livres publiés, je me souviens des humbles débuts qui m'ont conduit ici. Je suis reconnaissant pour la pratique du journal qui m'a façonné en tant qu'écrivain, car c'est travers les pages de mon journal que j'ai découvert ma voix, mon objectif ma passion. En revanche, trouver la joie nous oblige à nous engager dan des activités qui nous apportent un véritable bonheur. Il peut s'agir de pratiquer un passe-temps, de passer du temps avec ses proches ou simplement de se promener dans la nature. Lorsque nous prenons le temp de consacrer du temps à des choses qui nous éclairent vraiment, nous invitons la joie dans nos vies et créons un effet d'entraînement qui propag la positivité à ceux qui nous entourent.

N'oubliez pas que cultiver la gratitude et trouver la joie est un voyage q dure toute la vie, qui demande de la patience, de la persévérance et une volonté d'accepter les hauts et les bas de la vie. Il ne s'agit pas de nier le défis qui se présentent à nous, mais plutôt de choisir de trouver les bon côtés et de se concentrer sur les choses qui nous apportent le bonheur.

Chapitre 11

Vivre une vie utile

Ma vie a un but, un but qui me pousse à me lever chaque matin avec détermination et passion. Peu importe à quel point le chemin est difficile, je sais que je suis ici pour une raison, et cette raison est de laisser une marque positive sur ce monde. Je suis un témoignage de l'incroyable puissance de la grâce et de la direction de Dieu dans ma vie. Je suis une mère, une spécialiste bancaire et une auteure, tout cela pour la gloire de Dieu.

En tant que mère, j'ai eu la chance d'être témoin du miracle de la vie se dérouler sous mes yeux et remplir mon cœur d'un immense sentiment de joie et de responsabilité. À travers les nuits blanches, les moments de tendresse et les sacrifices quotidiens, je me souviens de l'amour inconditionnel de Dieu et de l'immense force qu'il m'a donnée.

Dans mon rôle de spécialiste bancaire, j'ai eu l'opportunité d'avoir un impact positif sur le bien-être financier des autres. Je m'efforce de fournir des orientations, un soutien et des conseils judicieux à ceux qui cherchent à gérer judicieusement leurs ressources. À chaque transaction, je me souviens de l'abondance avec laquelle Dieu nous a béni et de la responsabilité de bien la gérer. C'est grâce à mon travail que je suis capable de faire preuve d'intégrité, d'honnêteté et de compassion, reflétant le caractère de Dieu dans chaque interaction.

En tant qu'auteur, j'ai reçu une plate-forme pour partager mes pensées, mes expériences et mes idées avec le monde. À travers la parole écrite, je cherche à inspirer, élever et encourager les autres dans leur chemin de foi. Que ce soit à travers une dévotion, un article de blog ou une publication sincère sur mon Instagram. Mon objectif est de mettre en lumière la beauté et la bonté qui nous entourent, en rappelant aux autres la présence de Dieu dans tous les aspects de notre vie.

Aujourd'hui, je suis honoré et reconnaissant pour les rôles multiformes que j'ai eu la chance de remplir. Je reconnais que ce n'est pas par ma propre force ou mes capacités que je suis capable de réussir, mais par la grâce et la faveur de Dieu. Je me souviens que dans tout ce que je fais, que ce soit la maternité, la banque ou l'écriture, c'est en fin de compte pour sa gloire. Je m'efforce de l'honorer à travers mes actions, en recherchant ses conseils et sa sagesse pour parcourir chaque étape de mon voyage.

Au milieu des moments les plus sombres de la vie, lorsque le désespoir semble éclipser toute lueur, rappelez-vous qu'il y a toujours de l'espoir. Même lorsque tout autour de nous semble s'effondrer, il existe une force puissante qui peut nous relever et nous guider vers un avenir meilleur. Cette force n'est autre que Dieu.

Dieu, source de tout amour et compassion, est toujours là pour nous, prêt à nous embrasser dans nos moments de lutte. Il comprend notre douleur, nos peurs et nos doutes, et il nous offre réconfort et force. Lorsque nous nous sentons perdus, Il est la main ferme qui nous ramène sur le bon chemin. Lorsque nous nous sentons brisés, est le contact doux qui guérit nos blessures et nous redonne le moral.

C'est dans les moments d'obscurité que notre foi est véritablement mise à l'épreuve, mais c'est aussi dans ces moments que nous pouvons témoigner de la puissance de l'amour et de la grâce de Dieu. Sa lumière brille plus fort dans les moments les plus sombres, illuminant nos chemins et nous conduisant vers un avenir rempli d'espoir et de renouveau.

Rappelons-nous qu'Il est notre refuge et notre force, une aide toujours présente dans les moments difficiles. Faisons confiance à son plan divin, sachant qu'il fait tout pour notre bien. Ayons confiance que, tout comme la nuit cède la place à l'aube, nos luttes actuelles céderont la place à des lendemains meilleurs.

Et lorsque l'espoir semble insaisissable, cherchons du réconfort dans la prière.
Déversez votre cœur vers Dieu, car Il est un auditeur aimant qui aspire à alléger vos fardeaux. Il est toujours avec vous, prêt à vous offrir réconfort et conseils, même dans les moments les plus sombres. Ayez confiance que son amour est plus grand que n'importe quel obstacle auquel vous pourriez être confronté et que grâce à lui, tout est possible.

Même si je réfléchis à mon propre parcours de vie, je me souviens des moments incroyables qui m'ont façonné et guidé vers la personne que je suis destinée à devenir.

À partir du moment où j'ai découvert que la femme que j'avais affectueusement appelée « Maman Luisa » n'était pas ma mère logique. Cette révélation a ébranlé les fondements mêmes de mon identité, me laissant avec des questions et des incertitudes.

Le jour où j'ai rencontré ma mère pour la première fois restera gravé à jamais dans ma mémoire. Ce fut un moment de connexion et de compréhension, toutes les pièces manquantes d puzzle de ma vie.

Le prochain chapitre de mon voyage m'a emmené aux États-Unis, une terre d'opportunités et de possibilités infinies où j'ai é adopté.

Le moment le plus amer de mon retour en République dominicaine a été déprimé, mais j'ai trouvé le réconfort, les conseils et un profond sens de Dieu. J'ai découvert que je n'éti jamais seul, que même dans les moments les plus sombres, il y avait une lumière qui illuminait le chemin à parcourir. Dans c moments difficiles, je reconnais aussi la force en moi qui m'a permis de persévérer.

Même si la douleur de mon passé persiste, j'ai appris à l'accept comme faisant partie de mon voyage. Cela a fait de moi la personne que je suis aujourd'hui et je suis déterminé à utiliser r expériences pour aider ceux qui traversent des luttes similaires. partageant mon histoire, j'espère inspirer les autres à demander l'aide, à tendre la main et à ne jamais perdre espoir.

La vie est une série de hauts et de bas, et c'est souvent dans n moments les plus sombres que nous découvrons notre vérital force. Je ne suis plus défini par la tristesse que j'ai ressentie autrefois, mais par la résilience et le courage que j'ai trouvés e moi.

En repensant à mon parcours de vie, je suis encore une fois empli de gratitude pour chaque rebondissement qui m'a amené là où je suis aujourd'hui. C'est à travers les défis et les épreuves que j'ai grandi, appris et découvert ma vraie force. Chaque expérience, qu'elle soit joyeuse ou douloureuse, a fait de moi l'individu résilient et compatissant que je suis fier d'être.

Dans la grande tapisserie de l'existence, nous sommes tous tissés ensemble dans un but unique. Chacun de nous détient en lui le pouvoir de faire la différence, de créer des répercussions qui se répercuteront bien au-delà de nos propres vies. C'est en menant une vie utile que nous brillons vraiment et rayonnons notre essence intérieure.

Vivre avec un but consiste à aligner nos actions sur nos valeurs, nos rêves et nos passions. Il s'agit d'accepter notre authenticité et d'utiliser nos dons et talents uniques pour contribuer au monde qui nous entoure. Lorsque nous vivons avec un but, la vie devient une toile sur laquelle nous peignons des traits d'amour, de gentillesse et d'inspiration.

Souvent, le chemin pour vivre une vie utile commence par une introspection. En prenant le temps de plonger profondément dans notre cœur et notre esprit, nous pouvons découvrir nos véritables passions et désirs. Qu'est-ce qui allume un feu en nous ? Qu'est-ce qui nous apporte joie et épanouissement ? Ces questions nous guident vers notre objectif, notre étoile polaire qui nous fait avancer.

Vivre une vie utile signifie sortir de notre zone de confort, ca c'est dans le royaume de l'inconnu que nous découvrons notr véritable potentiel. Cela nous oblige à relever les défis et à affronter nos peurs de front. C'est dans ces moments de croissance que nous nous épanouissons véritablement, nous transformant en les meilleures versions de qui nous pouvons être.

Vivre avec un but signifie également cultiver un état d'esprit gratitude. La gratitude ouvre notre cœur et notre esprit à l'abondance qui nous entoure. Cela nous permet d'apprécier beauté des choses les plus simples et de reconnaître l'interdépendance de tous les êtres. Avec la gratitude comme boussole, nous naviguons dans la vie avec un sentiment d'émerveillement et de respect. De plus, vivre une vie qui a u sens n'est pas seulement une question d'épanouissement personnel, mais aussi d'avoir un impact positif sur les autres. s'agit de tendre la main à ceux qui en ont besoin, en répanda l'amour et la compassion partout où nous allons. En édifiant autres, nous devenons un phare de lumière, éclairant le chem de ceux qui se sont peut-être égarés.

Ce n'est pas facile. Il y aura des moments de doute et d'incertitude, des moments où nous trébucherons et tomberons. Mais c'est dans ces moments-là que nous devon nous rappeler notre but, notre raison d'être. Nous devons rassembler la force en nous pour nous relever, persévérer e continuer à avancer.

Chapitre 12

Embrasser l'inconnu et faire confiance à Dieu

Dans la vie, nous nous retrouvons souvent confrontés à l'inconnu. C'est comme marcher sur un chemin sans voir ce qui nous attend. Cela peut être effrayant, mais aussi excitant. Cependant, malgré les incertitudes, nous pouvons toujours faire confiance à Dieu. Il nous donne la force d'affronter l'inconnu avec courage et détermination. Tout au long de ma vie, il ne fait aucun doute que la vie a mis ma force et mon endurance à l'épreuve. Cependant, je réalise maintenant que chacune de ces expériences était une précieuse leçon déguisée.

La vie a une manière de nous enseigner les leçons que nous devons apprendre, même si elles se présentent sous la forme de difficultés. C'est à travers ces tests que nous découvrons notre véritable force et notre potentiel. Chaque combat est une opportunité de croissance et d'amélioration personnelle. Face à l'adversité, j'ai appris l'importance de la persévérance. J'ai découvert le pouvoir de la résilience, d'avancer même lorsque le chemin semble insurmontable. C'est dans ces moments difficiles que notre véritable caractère et notre détermination brillent.

Chaque revers m'a appris la valeur de la patience. J'ai appris que le succès ne vient pas du jour au lendemain, mais grâce à des efforts constants et un dévouement sans faille. Le voyage peut être long et ardu, mais avec de la patience, nous finirons par atteindre la destination souhaitée.

De plus, chaque déception m'a appris l'importance de la gratitude. Il est facile de tenir les choses pour acquises lorsque tout se passe bien, mais face à la déception, nous réalisons la vraie valeur de ce que nous avons. La gratitude nous permet d'apprécier le moment présent et de trouver de la joie même dans les plus petites victoires.

Surtout, ces leçons m'ont appris l'importance de la confiance e soi. En période de doute et d'incertitude, il est crucial d'avoir confiance en soi et en nos capacités. Nous possédons une forc intérieure qui peut nous aider à traverser n'importe quelle tempête, à condition que nous croyions en nous-mêmes et er notre potentiel.

Dans les moments calmes d'introspection, je ne peux m'empêcher de penser que je ne suis pas tout à fait là où je su censé être. Il ne s'agit pas d'un sentiment de mécontentemen ou de désespoir, mais plutôt d'un sentiment d'ambition profondément enraciné et d'un désir de réaliser tous les rêve: qui dansent dans mon cœur.

J'ai tellement d'aspirations, tellement d'objectifs que j'aspire accomplir. Ils scintillent dans mon esprit comme des étoiles lointaines, attendant d'être saisies et introduites dans ma réalit Et je crois fermement qu'avec l'aide de Dieu, je réaliserai ce: rêves et les transformerai en réalisations tangibles.

Chaque jour, je me réveille avec une détermination renouvelée à progresser vers ces objectifs. Je me rappelle que la vie est un voyage et que chaque pas que je fais, aussi petit soit-il, me rapproche de ma destination. Parfois, il est facile de perdre de vue cette vérité et de me laisser submerger par l'énormité de mes rêves. Mais j'apprends à faire confiance au processus et à avoir confiance en mes capacités.

J'ai réalisé que la vie ne consiste pas à atteindre une destination spécifique, mais plutôt au voyage lui-même. Il s'agit des leçons apprises tout au long du chemin, de la croissance vécue et de la personne que je deviens dans la poursuite de mes rêves. Il s'agit de considérer chaque défi comme une opportunité de croissance et d'utiliser les revers comme tremplins vers le succès.

Je sais que le chemin à parcourir peut être semé d'obstacles et d'incertitudes, mais je choisis de les affronter de front. Je comprends que le succès n'est pas garanti, mais je suis déterminé à tout donner et à ne jamais abandonner. Je crois que tous mes rêves sont à ma portée et je suis prêt à travailler sans relâche pour les réaliser.

Donc, je ne suis peut-être pas encore là où je suis censé être, mais je suis en route. Avec Dieu à mes côtés, j'ai la force et les conseils nécessaires pour surmonter tout obstacle qui se dresse sur mon chemin. Je suis convaincu que tant que je continue à rêver, à me fixer des objectifs et à agir, j'atteindrai des sommets que je n'aurais jamais cru possibles.

En fin de compte, ce qui compte, ce n'est pas la destination, mais le voyage. Et je suis reconnaissant pour chaque pas que je fais vers mes rêves, car c'est grâce à ce voyage que je deviens la personne que j'ai toujours été censée être.

Il existe d'innombrables moments où nous nous trouvons au carrefour de l'incertitude. Le chemin à parcourir semble flou e nous nous retrouvons aux prises avec l'inconnu. C'est pendant c moments que nous devons apprendre à accepter l'inconnu et . faire confiance au plan divin de Dieu.

Embrasser l'inconnu peut sembler intimidant au début, mais c' dans ces territoires inexplorés que nous trouvons la croissance, force et des opportunités incroyables. C'est là que nous découvrons notre potentiel caché et réalisons que notre capacit surmonter les défis ne connaît pas de limites. Au lieu de craind l'inconnu, accueillons-le à bras ouverts, car c'est dans l'incertitu que l'on apprend véritablement à vivre.

Dans notre voyage vers l'inconnu, il est essentiel de faire confiance aux conseils et à la sagesse de Dieu. Il est la boussole nous indique la bonne direction et le pilier de force qui nou soutient à travers chaque virage. Lorsque nous faisons confianc Dieu, nous abandonnons nos soucis et nos angoisses, sachant q détient le plan de notre vie.

Faire confiance à Dieu ne signifie pas que tout se déroulera exactement comme nous l'envisageons. Cela signifie avoir la f que même face à l'adversité, Dieu a un dessein pour nous. Ce signifie abandonner nos désirs et nous aligner sur sa volonté divine. Car c'est lorsque nous lâchons prise et faisons confianc son plan que nous trouvons la paix, le contentement et un se renouvelé du but.

Alors, acceptons l'inconnu et faisons confiance à l'amour et à la direction inébranlables de Dieu. Libérons nos peurs et nos doutes et cultivons plutôt un esprit de courage et de résilience. Car ce faisant, nous nous ouvrons à un monde de possibilités infinies et nous embarquons dans un voyage de croissance et de découverte de soi.

N'oubliez pas que lorsque nous acceptons l'inconnu et faisons confiance à Dieu, nous puisons dans une source de force qui réside en nous. Nous devenons les héros de nos propres histoires, affrontant chaque nouveau chapitre avec un esprit d'anticipation et une foi inébranlable. Alors avançons avec confiance, sachant que nous ne sommes jamais seuls, car Dieu marche à nos côtés à chaque étape du chemin.

Embrassez l'inconnu et faites confiance au plan divin de Dieu.

Nous n'avons pas seulement été faits pour vivre et mourir ; nous avons été créés dans un but précis. Chacun d'entre nous a un rôle unique à remplir dans ce monde. Nous avons des talents, des passions et des rêves qui attendent d'être découverts et poursuivis. Mais trouver notre objectif peut parfois sembler une bataille difficile, surtout lorsque nous sommes confrontés à des obstacles et à des incertitudes en cours de route.

Lorsque nous demandons à Dieu de nous guider, nous reconnaissons que nous avons besoin de la sagesse et de la direction divines pour atteindre notre objectif. C'est une humble connaissance du fait que nous ne pouvons pas tout faire par nous-mêmes et que nous avons besoin de l'aide d'une puissance supérieure pour nous conduire vers notre véritable vocation.

Mais comment ouvrir la porte à l'épanouissement et laisser un impact durable sur le monde qui nous entoure ?

La première étape consiste à écouter les murmures de notre cœur. Au plus profond de chacun de nous se trouve une vocation unique, un véritable nord qui nous guide vers notre objectif. Cela peut être une passion, un talent ou une envie de faire la différence. Prenez un moment pour faire taire le bruit du monde et écoutez vraiment ce que votre cœur vous dit. Ce n'est peut-être qu'un léger murmure au début, mais avec de la patience et de la persévérance, il deviendra de plus en plus fort, plus clair.

Une fois que vous avez découvert votre objectif, adoptez-le avec une détermination sans faille. Laissez-le allumer un feu en vous, vous propulsant vers l'avant même face à l'adversité. N'oubliez pas qu'une vie pleine de sens n'est pas sans défis, mais témoigne plutôt de notre résilience et de notre force. Acceptez les leçons qui accompagnent chaque obstacle, sachant qu'ils ne sont que simples tremplins sur le chemin de la grandeur.

Ne sous-estimez jamais le pouvoir de la connexion et de la communauté. Entourez-vous de personnes partageant les mêmes idées et partageant votre vision et vos valeurs. Ensemble, vous pouvez élever, inspirer et créer un effet d'entraînement qui va bien au-delà de votre propre voyage. Collaborez, soutenez-vous et célébrez les victoires de chacun, car une vie pleine de sens n'est pas un effort solitaire mais une célébration collective de l'esprit humain.

Dans la poursuite d'une vie utile, il est crucial de cultiver un état esprit de gratitude et d'abondance. Comptez vos bénédictions, aussi petites soient-elles, et laissez la gratitude être le carburant qui vous propulse vers l'avant. Chérissez le moment présent et trouvez de la joie dans les plaisirs simples qu'offre la vie.

oubliez jamais Dieu et qu'une vie pleine de sens n'est pas seulement ine question d'épanouissement personnel mais aussi de service aux utres. Trouvez des moyens de contribuer au bien-être de ceux qui ous entourent, que ce soit par des actes de gentillesse, du bénévolat u en consacrant vos talents à une plus grande cause. En redonnant, vous enrichissez non seulement la vie des autres, mais vous créez également un sentiment d'utilité qui transcende votre propre existence.

Et n'oubliez jamais le pouvoir de la prière. Cette simple prière en République dominicaine m'a sauvé la vie.

tais autrefois perdu dans le vaste abîme de la dépression, prisonnier de mes propres pensées et émotions. Le poids du monde semblait écraser mon esprit, me laissant vide, brisé et dépourvu de tout ntiment d'identité. C'était comme si je m'étais perdu en chemin et je ne savais pas comment retrouver mon chemin.

ais dans mes heures les plus sombres, quand je n'avais plus la force e me battre, je me suis tourné vers la prière. J'ai confié mon cœur, es peurs et ma douleur à une puissance supérieure, m'abandonnant mplètement à la présence divine qui, je croyais, pouvait me guérir. Et à ce moment-là, quelque chose de miraculeux s'est produit.

Une prière m'a sauvé la vie. Elle m'a appris que même dans le désespoir, il y a toujours une lueur d'espoir. Elle m'a montré que même si je me sentais brisé, je n'étais jamais vraiment seul.

Ne sous-estimez jamais le pouvoir d'une prière sincère.

Dans la vie, il y a des moments où nous nous trouvons au bord du désespoir, où tout semble s'effondrer autour de nous et où l'espoir n'est plus qu'un lointain souvenir. C'est dans ces moments de pur désespoir qu'une prière peut être notre grâce salvatrice, notre lumière directrice dans les moments les plus sombres.

Tout comme une prière m'a sauvé de la dépression, de la maladie, d'un accident de voiture et de bien d'autres défis, une prière peut aussi vous sauver. Embrassez le pouvoir de la prière et laissez-la imprégner sa magie de votre vie.

Si vous vous retrouvez perdu dans les profondeurs du désespoir je vous exhorte à vous tourner vers la prière. Permettez-vous d'être vulnérable, ouvrez votre cœur et exprimez vos désirs les plus profonds. Ayez confiance qu'il existe une puissance au-delà de votre compréhension qui vous entend, vous aime et est prêt à vous élever.

Je veux prendre un moment et dire une prière pour vous.

Prière

Dieu ,

Nous venons devant vous aujourd'hui, cherchant humblement votre pardon pour toutes les erreurs ou actes répréhensibles que nous avons pu commettre.

Nous reconnaissons que nous sommes des êtres imparfaits, enclins à commettre des erreurs de jugement et d'action. S'il vous plaît, pardonnez-nous tout mal que nous avons pu causer aux autres, sciemment ou inconsciemment. Accorde-nous la force d'apprendre de nos erreurs et de nous efforcer de devenir de meilleures personnes chaque jour.

Nous demandons également votre guidance dans nos vies. La vie peut être pleine d'incertitudes et de défis, et il est parfois difficile de savoir quel chemin prendre. S'il vous plaît, éclairez notre chemin, en nous montrant les bons choix à faire et en nous aidant à discerner ce qui est vraiment important. Puisse votre sagesse guider nos décisions et nous conduire vers une vie pleine de sens et d'épanouissement.

Enfin, nous demandons que votre amour abondant nous entoure. Votre amour ne ressemble à aucun autre, inconditionnel et global. S'il vous plaît, remplissez nos cœurs de votre amour, lui permettant de déborder dans nos relations, nos actions et nos pensées. Aide-nous à aimer les autres comme tu nous aimes, avec gentillesse, compassion et compréhension.

Puissions-nous toujours rechercher le pardon, les conseils et l'amour de ta part, Dieu cher.

Amen.

Si seulement nous savions que l'amour de Dieu est inconditionnel et ne connaît aucune frontière. Il dépasse toute compréhension humaine, car c'est un amour divin qui peut guérir nos blessures les plus profondes et réparer les cœurs brisés. Lorsque nous permettons à l'amour de Dieu d'entrer dans nos vies, nous invitons une puissance plus grande que nous mêmes à nous guider à travers les moments les plus sombres.

Lorsque nous prenons un moment pour faire une pause, pour respirer et pour inviter l'amour de Dieu dans nos cœurs, nous réalisons que nous ne sommes jamais seuls. Dieu est toujours avec nous, prêt à nous relever et nous porter à travers les tempêtes de la vie.

Dans les moments de désespoir, c'est la grâce de Dieu qui nous donne la force et le courage de persévérer. C'est grâce à sa grâce que nous trouvons le pardon, la rédemption et la capacité de nous pardonner à nous-mêmes et aux autres. Sa grâce nous permet d'abandonner les erreurs du passé et d'embrasser un avenir rempli d'espoir et de secondes chances.

Lorsque nous permettons à l'amour et à la grâce de Dieu d'entrer dans nos cœurs, nous devenons des vaisseaux de sa lumière dans un monde qui semble souvent consumé par les ténèbres. Nous pouvons étendre ce même amour et cette même grâce aux autres, en offrant compassion et compréhension dans un monde qui en a désespérément besoin.

N'oublions pas que l'amour et la grâce de Dieu ne sont pas réservés à quelques privilégiés mais sont accessibles à tous ceux qui les recherchent. Quels que soient notre passé, nos défauts ou nos doutes, l'amour de Dieu est toujours là, attendant que nous ouvrions notre cœur et le recevions.

N'oubliez pas que peu importe les difficultés ou les défis auxquels nous sommes confrontés, nous ne sommes pas seuls. L'amour et la grâce de Dieu sont toujours là, prêts à nous élever, à nous guérir et à nous guider. Laissez son amour remplir votre cœur et observez sa grâce transformer votre vie.

Alors, qu'est-ce que la vie m'a appris au cours des 30 dernières années ?

J'ai appris d'innombrables leçons qui ont fait de moi la personne que je suis aujourd'hui. À travers les hauts et les bas, une leçon importante ressort : il y a toujours de la lumière au bout du tunnel.

La vie a une façon de nous surprendre. Juste au moment où nous pensons que tout est perdu, une avancée décisive peut se produire, apportant avec elle un sentiment renouvelé de but et de joie. C'est dans ces moments que nous réalisons le véritable pouvoir de la résilience et l'importance de ne jamais abandonner. De la douleur d'être abandonné par ma mère aux bénédictions d'être élevé par ma grand-mère aimante, chaque expérience a fait de moi la personne que je suis aujourd'hui. Et au milieu des épreuves du sentiment de rejet et des montagnes russes des relations,

'ai découvert une vérité profonde qui a transformé mon existence : le pouvoir du pardon et l'étreinte de Dieu.

J'ai réalisé que j'avais le choix : laisser l'amertume me consumer ou surmonter la douleur et trouver de la force dans ma situation.

C'est dans les bras de ma grand-mère que j'ai découvert le pouvoir de l'amour inconditionnel, la résilience et la beauté des secondes chances. Elle m'a appris que peu importe d'où nous venons ou les défis auxquels nous sommes confrontés, nous avons en nous le pouvoir de créer une vie pleine de sens et de sens.

Les relations, avec leurs joies et leurs peines, m'ont appris la vulnérabilité, la confiance et l'importance de la communication. J'ai appris que les véritables liens reposent sur une base d'honnêteté, de respect et de compréhension mutuelle. À travers les hauts et les bas, j'ai compris que le véritable amour exige des efforts, de la patience et la volonté de pardonner

J'ai aussi appris que parfois, pour notre propre bien-être, il est nécessaire de se dire au revoir. Cet au revoir signifie simplement que nous avons reconnu que nos chemins ont divergé et que s'accrocher quelque chose qui ne correspond plus à nos valeurs ou à nos objectif ne fera que nous retenir. Il faut du courage pour se libérer de ce qui r nous sert plus, mais cela ouvre la possibilité de créer de nouvelles connexions plus épanouissantes dans nos vies.

Et quand j'ai senti que j'avais atteint mon point de rupture, j'ai trouv du réconfort dans les bras de Dieu. C'est grâce à cette connexion divine que j'ai appris le vrai sens de la grâce et le pouvoir transformateur de la foi. Avec Dieu dans mon cœur, j'ai trouvé la for de pardonner à ceux qui m'avaient blessé et, ce faisant, je me suis libéré de la prison du ressentiment.

La vie a une façon de nous enseigner des vérités profondes si nous sommes ouverts à l'apprentissage. Cela m'a appris que notre passé n nous définit pas, mais que ce sont plutôt les décisions que nous prenons dans le présent qui façonnent notre avenir. Cela m'a appri que le pardon n'est pas un signe de faiblesse, mais plutôt un acte de force et de libération. Cela m'a appris que même si la nuit semble sombre, il y a toujours une lueur d'espoir à découvrir.

Je porte en moi la sagesse acquise lors de chaque expérience et je s déterminé à vivre une vie pleine de sens, d'amour et de pardon.

Je vous invite donc à vous engager également à vivre une vie de bu d'amour et de pardon. Ne laissez rien ni personne vous arrêter su votre chemin vers l'épanouissement personnel et le bonheur.
Vous méritez le meilleur!

Conclusion

Dans les dernières pages de mes mémoires, je suis impressionné par l'incroyable voyage que j'ai parcouru. C'est avec un cœur reconnaissant que je réfléchis à la façon dont l'amour et la grâce de Dieu m'ont sauvé la vie.

Au fil de ces pages, j'ai partagé certains des moments les plus sombres de mon existence, les moments où je me suis senti brisé et perdu. Mais à travers tout cela, l'amour de Dieu a brillé, me guidant vers un chemin de guérison et de rédemption.

J'ai appris que peu importe la profondeur du désespoir, il y a toujours de l'espoir. L'amour de Dieu est comme un phare de lumière, illuminant même les recoins les plus sombres de notre âme. C'est dans ces moments d'abandon que nous pouvons expérimenter la véritable puissance de sa grâce.

L'amour de Dieu m'a appris l'importance du pardon, tant pour les autres que pour moi-même. C'est grâce au pardon que nous pouvons nous libérer du poids des blessures passées et trouver la liberté dans notre cœur. C'est grâce au pardon que nous pouvons véritablement nous épanouir pour devenir les êtres rayonnants pour lesquels nous avons été créés.

Au milieu de mes luttes, j'ai compris que l'amour de Dieu n'est pas conditionnel. Cela ne nécessite ni perfection ni performance. C'est un amour qui nous embrasse dans notre fragilité et nous murmure des mots de réconfort et de guérison.

J'ai été témoin de miracles qui se sont produits sous mes yeux, où l'amour de Dieu a transformé des vies et provoqué la restauration. C'est un amour sans limites, qui atteint les profondeurs de nos âmes et redonne vie à nos esprits fatigués.

En concluant ce mémoire, je vous exhorte à ouvrir votre cœur à l'amour et à la grâce de Dieu. Permettez-lui d'œuvrer dans votre vie, de guérir vos blessures et de vous amener dans une nouvelle saison d'éclat épanoui.

Peu importe ce à quoi vous faites face, n'oubliez pas que vous n'êtes jamais seul. L'amour de Dieu est toujours là, attendant de vous embrasser et de vous guider vers une vi remplie de but et de joie.

Puisse ce mémoire servir de témoignage de la puissance d l'amour et de la grâce de Dieu. Puisse-t-il vous inspirer à rechercher sa présence à chaque instant et à faire confiance son plan pour votre vie. Et puissiez-vous, vous aussi, expérimenter la transformation miraculeuse qui résulte de l'abandon à son amour.

Le cœur débordant de gratitude, je vous dis adieu.

Que votre propre voyage soit rempli du rayonnement de l'amour de Dieu.

Questions et réponses concernant Claritza Rausch Peralta

Question : Qu'est-ce qui vous a inspiré pour écrire ces mémoires ?
Réponse : Je voulais partager mon parcours de vie et les leçons que j'ai apprises en cours de route, dans l'espoir qu'il puisse inspirer et trouver un écho auprès des autres.

Question : Quels ont été les tournants majeurs de votre vie ?
Réponse : Des triomphes personnels aux défis inattendus, ces moments ont façonné qui je suis aujourd'hui.

Question : Comment avez-vous découvert l'amour et la grâce de Dieu dans votre vie ?
Réponse : Encore une fois, tout au long de mes moments les plus sombres, j'ai trouvé du réconfort dans la prière et j'ai cherché l'aide de Dieu. Son amour et sa grâce se sont progressivement révélés à travers de petits miracles, un soutien inattendu et la force de surmonter les défis.

Question : Comment l'amour et la grâce de Dieu vous ont-ils aidé à traverser des relations ou des conflits difficiles ?
Réponse : L'amour et la grâce de Dieu m'ont appris l'importance du pardon et de la compréhension. En étendant son amour aux autres, pu aborder les conflits avec un cœur compatissant, favorisant ainsi la guérison et la réconciliation.

Question : Quelles ont été les personnes les plus importantes dans votre vie et comment vous ont-elles façonné ?

Réponse : Ma grand-mère « Mama Luisa » était tout pour moi, elle l'est toujours. Elle était mon guide, mon roc et ma confidente. J'ai chéri nos moments ensemble, qu'il s'agisse de regarder une « Novela » ensemble, de marcher jusqu'à l'église avec ma « Madrina » Eroina, ou de me préparer le petit-déjeuner et de m'emmener à l'école « la escuelita ».

et Liam, mon fils, être mère m'a appris d'innombrables leçons et a véritablement été une expérience transformatrice. À partir du moment où j'ai tenu mon enfant dans mes bras, j'ai réalisé que la parentalité est un voyage à la fois stimulant et enrichissant, je les aime tellement tous les deux !

Question : Comment votre éducation a-t-elle influencé vos choix vos croyances ?

Réponse : Explorer l'impact de ma famille, de mes antécédents culturels et de mes expériences d'enfance m'a aidé à comprendre comment ils ont façonné ma vision de la vie.

Question : Quelles sont les expériences les plus mémorables de votre vie et pourquoi ?

Réponse : Grandir avec ma grand-mère a vraiment été l'une de expériences les plus mémorables de ma vie, les rencontres que j' eues avec Dieu, une autre expérience inoubliable a été lorsque j'étais petite, je voyageais à Porto Rico avec mes cousins et je priais avec eux à mon "La maison de Tia Ana, le jour où je sui devenu parent a été indéniablement l'un des moments les plus incroyables de ma vie et, enfin, le jour où j'ai acheté ma premiè maison, ce fut l'aboutissement d'un travail acharné, de détermination et d'un rêve devenu réalité, oh je Je ne peux pas oublier que sortir avec mes meilleures cousines Andia était aus de bons moments.

Meilleurs souvenirs

M'habiller avec mes frères et ma sœur

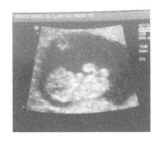

Quand j'ai su que j'allais être mère

Mon père adoptif, mon fils et ma famille fêtent Noël

Getting ready to go work at the Bank

Célébration de l'anniversaire de « Maman Luisa »

Sortir avec mon cousin préféré

Ma première fois avec mes parents biologiques en famille

Quand j'ai acheté ma première maison

Emmener mon fils en République Dominicaine et lui montrer où je suis né

Emmener ma sœur et ma mère biologique à Philadelphie avec nos enfants

Note à moi-même

Chère Claritza,

Alors que vous célébrez votre 30e anniversaire, je souhaite que vous preniez un moment pour réfléchir à l'incroyable voyage qui vous a amené ici. Vous avez accompli tellement de choses et je suis impressionné par la personne que vous êtes devenue.

Écrire ce livre n'était pas une coïncidence ; c'était un plan divin mis en œuvre par votre Père céleste. Vous avez été choisi pour partager votre histoire, inspirer les autres et apporter de la lumière dans la vie de ceux qui lisent vos mots. Acceptez cet objectif et sachez que vous faites une différence dans le monde.

Je veux que tu saches à quel point je suis fier de toi. Chaque jour, tu continues de m'étonner par ta force, ta résilience et ta détermination. Vous avez fait face à d'innombrables défis et obstacles, mais vous les avez toujours surmontés. Votre capacité à surmonter l'adversité témoigne de votre caractère et de votre esprit.

En ce jour spécial, je veux que vous libériez l'emprise de votre passé. Pardonnez à ceux qui vous ont blessé, car garder rancune ne fait que vous alourdir. En pardonnant aux autres, vous vous libérez du fardeau de la colère et du ressentiment. Et n'oubliez pas que le pardon n'est pas seulement pour eux, mais aussi pour vous-même. Permettez-vous d'avancer et de laisser aller la douleur.

Tu es une âme radieuse, Claritza. Votre beauté brille de l'intérieur et rayonne vers l'extérieur, touchant la vie de ceu qui vous entourent. Votre esprit est contagieux et votre énergie positive élève tous ceux qui croisent votre chemin. Ne sous-estimez jamais le pouvoir de votre présence.

Vous êtes béni au-delà de votre imagination la plus folle. Comptez vos bénédictions chaque jour, aussi petites soient elles. La gratitude est un outil puissant qui apporte plus d'abondance dans votre vie. Reconnaissez les bénédictions qui vous entourent et ne les prenez jamais pour acquises.

Tout en poursuivant votre voyage, continuez à vivre la vi de vos rêves. Vous avez le pouvoir de créer la réalité que vous désirez. Poursuivez vos passions, suivez votre cœur e faites toujours confiance au processus. Vos rêves sont à portée de main et je crois en vous de tout cœur, votre aven est un avenir rempli d'amour, de joie et d'épanouissement que Dieu continue de vous bénir et de vous protéger toujours.

Continuez à briller et ne cessez jamais de croire en vous.

Avec amour et admiration,

Votre futur moi

En savoir plus sur Claritza

Claritza Rausch Peralta est une femme de foi, une mère dévouée et une spécialiste du secteur bancaire passionnée 'écriture. À travers ses paroles inspirantes, elle vise à élever et responsabiliser les lecteurs, en les guidant vers une vie emplie de but, d'abondance et d'amour. Croyant fermement ι pouvoir des affirmations positives, les livres de dévotion de Claritza sont conçus pour aider les lecteurs à découvrir leur éritable identité et leur potentiel. Dans son ouvrage acclamé, « Identifié : 31 jours d'affirmations Je Suis avec des versets bibliques », elle fournit une dose quotidienne d'encouragement et de sagesse biblique, permettant aux ιcteurs de déclarer leur valeur et d'accepter les promesses de Dieu.

Comprenant profondément que l'abondance n'est pas ιservée à quelques privilégiés, Claritza partage ses idées dans « Believe That Abundance Is Coming ». À travers des histoires puissantes et des conseils pratiques, elle incite les ιcteurs à changer leur état d'esprit, à se libérer des limites et à s'ouvrir aux possibilités illimitées qui les attendent. S'appuyant sur ses propres expériences et sa foi, le livre de Claritza « Radiant Love » explore le pouvoir transformateur ιe l'amour dans nos vies. Avec des anecdotes sincères et des conseils spirituels, elle encourage les lecteurs à cultiver l'amour en eux-mêmes et à le rayonner vers l'extérieur, ιpandant ainsi la joie et la positivité à ceux qui les entourent.

En plus de ses dévotions, Claritza se consacre à la promotion de l'éducation bilingue. En tant qu'auteure bilingue, elle croit en l'importance de la diversité linguistique et culturelle. À travers ses livres, elle cherche à combler le fossé entre les différentes communautés, favorisant la compréhension et l'unité. Les écrits de Claritza Rausch Peralta sont imprégnés d'un ton inspirant qui résonne auprès des lecteurs de tous horizons. Ses paroles renforcent, élèvent et encouragent, nous rappelant l'immense pouvoir que nous détenons en nous-mêmes et l'amour divin qui nous entoure.

À travers ses livres, elle guide les lecteurs dans un voyage vers la découverte de soi, l'abondance et l'amour radieux.

Le travail de Claritza Rausch Peralta peut être acheté sur diverses plateformes, notamment Amazon et son site Web personnel.